IAN RANKIN

Verborgene Muster

Buch

Eine Mordserie versetzt Edinburgh in Angst und Schrecken. Zwei Mädchen wurden bereits getötet, und ein drittes ist verschwunden. Verbrechen dieser Art passen so gar nicht zum eleganten Image der schottischen Kapitale, unter deren touristisch attraktiver Oberfläche es gefährlich zu brodeln beginnt. Detective Sergeant John Rebus, mit der Suche nach dem dritten Mädchen beauftragt, hat eigentlich seine eigenen Sorgen. Gerade hat seine Frau ihn verlassen und die gemeinsame Tochter einfach mitgenommen. Damit nicht genug, erhält er merkwürdige anonyme Briefe, denen kleine, zusammengeknotete Stricke und aus Streichhölzern gebastelte Kreuze beigelegt sind. John Rebus ist mit den Nerven so ziemlich am Ende, als er sich aufmacht, dem mysteriösen Mörder auf die Spur zu kommen. Seine Aufgabe gestaltet sich schwierig, denn auf den ersten Blick gibt es keine direkte Verbindung zwischen den beiden Morden: Sie geschahen an unterschiedlichen Orten und scheinen auch sonst keinerlei Gemeinsamkeiten aufzuweisen ...

Autor

Ian Rankin, 1960 in Fife geboren, lebte in Edinburgh und London, bevor er mit seiner Frau nach Südfrankreich zog. Sein erster Roman erschien 1986 und wurde von der Kritik gefeiert. Der internationale Durchbruch beim Lesepublikum gelang ihm schließlich mit seinem melancholischen Serienhelden John Rebus, der mittlerweile aus den Bestsellerlisten nicht mehr wegzudenken ist.

Von Ian Rankin außerdem im Goldmann Verlag erschienen:

Das zweite Zeichen. Roman (44608)
Ehrensache. Roman (45014)
Wolfsmale. Roman (44609)
Verschlüsselte Wahrheit. Roman (45015)

Als gebundene Ausgaben:

Der kalte Hauch der Nacht. Roman (54521)
Puppenspiel Roman (54546)

Ian Rankin

Verborgene Muster

Roman

Aus dem Englischen
von Ellen Schlootz

GOLDMANN

Die Originalausgabe erschien 1987 unter dem Titel
»Knots and Crosses«
bei The Bodley Head, London

Umwelthinweis:
Alle bedruckten Materialien dieses Taschenbuches
sind chlorfrei und umweltschonend.

Deutsche Erstveröffentlichung Mai 2000
Copyright © der Originalausgabe 1987 by Ian Rankin
Copyright © der deutschsprachigen Ausgabe 2000
by Wilhelm Goldmann Verlag, München,
in der Verlagsgruppe Random House GmbH
Umschlaggestaltung: Design Team München
Umschlagfoto: Ernst Wrba
Satz: deutsch-türkischer fotosatz, Berlin
Druck: Elsnerdruck, Berlin
Verlagsnummer: 44607
Redaktion: Thomas Müller
JE · Herstellung: Sebastian Strohmaier
Made in Germany
ISBN 3-442-44607-4
www.goldmann-verlag.de

5 7 9 10 8 6 4

Für Miranda,

ohne die sich nichts
zu beenden lohnt

Danksagung

Beim Schreiben dieses Romans erhielt ich viel Hilfe vom C.I.D. Leith in Edinburgh, das große Geduld mit meinen vielen Fragen und meiner Ahnungslosigkeit über Polizeiarbeit hatte. Und obwohl die Geschichte erfunden ist, mit all den Fehlern, die sich daraus ergeben, hatte ich bei meinen Recherchen über das Special Air Service in dem hervorragenden Buch »Wer wagt, gewinnt« von Tony Geraghty eine unschätzbare Hilfe.

Prolog

I

Das Mädchen schrie ein Mal, nur ein Mal.

Und selbst das geschah nur wegen einer Unachtsamkeit seinerseits. Doch es hätte das Ende von allem bedeuten können, noch bevor es richtig begonnen hatte. Neugierige Nachbarn, die die Polizei riefen. Nein, so ging das nicht. Beim nächsten Mal würde er den Knebel etwas strammer ziehen, nur dieses kleine bisschen strammer, das die Sache ein bisschen sicherer machte.

Hinterher ging er an die Schublade und nahm ein Knäuel Schnur heraus. Mit einer dieser scharfen Nagelscheren, wie sie Mädchen anscheinend immer benutzen, schnitt er ein Stück von etwa fünfzehn Zentimeter ab, dann legte er Schnur und Schere zurück in die Schublade. Draußen heulte ein Automotor auf. Er trat ans Fenster. Dabei stieß er einen Stapel Bücher auf dem Fußboden um. Das Auto war jedoch bereits verschwunden, und er lächelte in sich hinein. Dann machte er einen Knoten in die Schnur, keinen speziellen Knoten, einfach einen Knoten. Auf dem Sideboard lag ein Briefumschlag bereit.

II

Es war der 28. April. Natürlich regnete es, und das Gras triefte vor Nässe unter seinen Füßen, als John Rebus zum Grab seines Vaters ging, der auf den Tag genau fünf Jahre tot war. Er legte einen Kranz in Rot und Gelb, den Farben des Gedenkens, auf den immer noch glänzenden Marmor. Dann verharrte er einen Augenblick und überlegte, was er sagen könnte, doch es gab nichts zu sagen, nichts zu denken. Er war ein ganz guter Vater gewesen, und das war's. Der alte Herr hätte sowieso nicht gewollt, dass er irgendwelche Worte verschwendete. Also stand er da, die Hände ehrerbietig hinter dem Rücken, während auf den Mauern um ihn herum die Krähen fröhlich krächzten, bis ihm das Wasser in die Schuhe sickerte und ihn daran erinnerte, dass vor dem Friedhofstor ein warmes Auto auf ihn wartete.

Er fuhr gemächlich. Er hasste es, wieder in Fife zu sein, wo die alte Zeit nie eine »gute alte Zeit gewesen« war, wo Geister in verlassenen, leeren Häusern rumorten und wo Abend für Abend an einer Hand voll trübsinniger Geschäfte die Rollläden heruntergelassen wurden, die den Vandalen eine Fläche boten, auf die sie ihre Namen schreiben konnten. Wie Rebus das alles hasste, diese absolut trostlose Gegend. Hier stank es, wie es schon immer gestunken hatte, nach Missbrauch, nach Stillstand, nach absoluter Vergeudung von Leben.

Er fuhr die acht Meilen Richtung Meer, dorthin, wo sein Bruder Michael immer noch wohnte. Der Regen ließ nach, als er sich der schiefergrauen Küste näherte. Aus Tausenden von Rissen in der Straße spritzte während der Fahrt Wasser auf. Wie kam es, fragte er sich, dass man hier die Straßen offenbar nie reparierte, während in Edinburgh so oft daran gearbeitet wurde, dass alles nur noch schlimmer wurde? Und warum vor allen Dingen war er bloß auf die wahnwitzige Idee verfallen, extra nach Fife zu fahren, nur weil heute der Todestag des alten Herrn war? Er versuchte, sich auf etwas anderes zu konzentrieren, doch das endete damit, dass er nur noch an die nächste Zigarette denken konnte.

In dem Regen, der jetzt deutlich schwächer geworden war, sah Rebus ein Mädchen ungefähr im Alter seiner Tochter. Es ging über den Grasstreifen am Straßenrand. Er drosselte das Tempo und betrachtete sie im Spiegel, während er an ihr vorbeifuhr. Dann hielt er an und winkte sie zum Fenster. Ihre kurzen Atemzüge waren in der kalten, ruhigen Luft zu sehen. Das dunkle Haar fiel ihr zottelig in die Stirn. Sie betrachtete ihn ängstlich.

»Wo willst du hin, mein Kind?«

»Nach Kirkcaldy.«

»Soll ich dich mitnehmen?«

Sie schüttelte den Kopf. Wassertropfen flogen aus ihren welligen Haaren.

»Meine Mutter hat gesagt, ich soll nicht mit Fremden mitfahren.«

»Nun ja«, sagte Rebus lächelnd, »da hat deine Mutter ganz Recht. Ich hab auch eine Tochter in deinem Alter, und der sage ich genau dasselbe. Aber es regnet, und ich bin Polizist, deshalb kannst du mir vertrauen. Außerdem ist es noch ein ganz schönes Stück zu laufen.«

Sie blickte die menschenleere Straße auf und ab, dann schüttelte sie noch einmal den Kopf.

»Okay«, sagte Rebus, »aber sei vorsichtig. Deine Mutter hat wirklich Recht.«

Er kurbelte das Fenster wieder hoch und fuhr weiter. Dabei beobachtete er im Spiegel, wie sie hinter ihm her sah. Kluges Kind. Es war gut zu wissen, dass es immer noch Eltern mit ein bisschen Verantwortungsbewusstsein gab. Wenn man das nur von seiner Exfrau behaupten könnte. Wie sie ihre gemeinsame Tochter erzogen hatte, war eine Schande. Michael hatte seiner Tochter ebenfalls zu viele Freiheiten gelassen. Doch wem sollte man dafür die Schuld geben?

Rebus' Bruder besaß ein ansehnliches Haus. Er war in die Fußstapfen des alten Herrn getreten und Bühnenhypnotiseur geworden. Nach allem, was man so hörte, schien er recht gut darin zu sein. Rebus hatte Michael nie gefragt, wie es funktionierte, so wie er auch nie Interesse oder Neugier an der Show des alten Herrn gezeigt hatte. Michael schien das immer noch zu irritieren, denn ab und zu ließ er Hinweise oder Andeutungen hinsichtlich der Authentizität seiner Bühnenschau fallen, denen er hätte nachgehen können, wenn er gewollt hätte.

Aber John Rebus hatte genug am Hals, dem er nachgehen musste, und das schon seit fünfzehn Jahren, seit er bei der Polizei war. Fünfzehn Jahre, und alles, was er vorzuweisen hatte, waren eine gehörige Portion Selbstmitleid und eine kaputte Ehe, dazu eine unschuldige Tochter, die irgendwo dazwischen hing. Es war eher abscheulich als traurig. Michael hingegen war glücklich verheiratet, hatte zwei Kinder und ein größeres Haus, als Rebus es sich jemals würde leisten können. Er trat als Hauptattraktion in Hotels, Clubs und sogar Theatern zwischen Newcastle und Wick auf. Manchmal verdiente er bis zu sechshundert Pfund mit einer einzigen Show. Ungeheuerlich. Er fuhr ein teures Auto, war gut angezogen und würde mit Sicherheit nicht am trübsten Apriltag seit Jahren bei strömendem Regen auf einem Friedhof in Fife dumm herumstehen. Nein, dazu war Michael viel zu clever. Oder zu blöde.

»John! Um Himmels willen, was ist los? Ich meine, ich freu mich, dich zu sehen. Aber warum hast du denn nicht angerufen, um mich vorzuwarnen? Komm rein.«

Der Empfang war so, wie Rebus ihn erwartet hatte: peinlich berührte Überraschung, als ob es weh täte, daran erinnert zu werden, dass man noch irgendwo Familie hatte. Und Rebus war aufgefallen, dass von »vorwarnen« die Rede war, wo doch »Bescheid sagen« gereicht hätte. Er war Polizist. Er bemerkte solche Dinge.

Michael Rebus hastete durch das Wohnzimmer und stellte die plärrende Stereoanlage leiser.

»Komm doch rein, John«, rief er. »Möchtest du was zu trinken? Vielleicht einen Kaffee? Oder was Stärkeres? Was führt dich hierher?«

Rebus setzte sich hin, als wäre er im Haus eines Fremden, den Rücken gerade und mit professioneller Miene. Er betrachtete die holzgetäfelten Wände – eine neue Errungenschaft – und die gerahmten Fotos von seinem Neffen und seiner Nichte.

»Ich war gerade in der Gegend«, sagte er.

Michael, der sich mit den gefüllten Gläsern in der Hand vom Barschrank wegdrehte, erinnerte sich plötzlich – oder lieferte zumindest eine überzeugende Show ab.

»Oh, John, das hab ich völlig vergessen. Warum hast du mir nichts gesagt? Find ich echt Scheiße, dass ich Dads Todestag vergessen habe.«

»Jedenfalls gut, dass du Hypnotiseur und nicht Mickey, der Gedächtniskünstler, bist. Jetzt gib mir endlich das Glas, oder kannst du dich nicht davon trennen?«

Michael lächelte deutlich erleichtert und gab ihm den Whisky.

»Ist das dein Auto da draußen?«, fragte Rebus, während er das Glas entgegennahm. »Ich meine den großen BMW?«

Michael nickte immer noch lächelnd.

»Mein Gott«, sagte Rebus. »Du lebst ja nicht schlecht.«

»Chrissie und die Kinder können aber auch nicht klagen. Wir bauen gerade hinten am Haus an. Um einen Whirlpool oder eine Sauna unterzubringen. Das ist zurzeit der Hit, und Chrissie will unbedingt immer allen anderen einen Schritt voraus sein.«

Rebus trank einen Schluck Whisky. Es war ein Malt. Nichts in diesem Raum war billig, aber auch nichts war besonders erstrebenswert. Zierrat aus Glas, eine Kristallkaraffe auf einem silbernen Tablett, Fernseher und Video, die unvorstellbar winzige Hi-Fi-Anlage und die Onyxlampe. Rebus hatte ein leicht schlechtes Gewissen wegen dieser Lampe. Rhona und er hatten sie Michael und Chrissie zur Hochzeit geschenkt. Chrissie redete nicht mehr mit ihm. Wer konnte es ihr verdenken?

»Wo ist eigentlich Chrissie?«

»Oh, sie ist unterwegs, irgendwas einkaufen. Sie hat jetzt ein eigenes Auto. Die Kinder sind noch in der Schule. Sie holt sie auf dem Heimweg ab. Bleibst du zum Essen?«

Rebus zuckte die Achseln.

»Du kannst gerne bleiben«, sagte Michael wohl in der Annahme, dass Rebus es ja doch nicht tun würde. »Wie läuft's denn im Revier? Wurstelt ihr immer noch so vor euch hin?«

»Mal gehen uns ein paar durch die Lappen, doch das wird nicht so publik gemacht. Und mal erwischen wir ein paar, und das steht dann groß in der Zeitung. Es ist wohl mehr oder weniger so wie immer.«

In dem Zimmer roch es, wie Rebus plötzlich auffiel, nach kandierten Äpfeln, fast wie in einer Spielhalle.

»Das ist ja eine furchtbare Geschichte mit diesen entführten Mädchen«, sagte Michael gerade.

Rebus nickte.

»Ja«, sagte er, »ja, das ist es. Obwohl wir streng genommen noch nicht von Entführung sprechen können. Bisher hat es noch keine Lösegeldforderung oder sonst was gegeben. Es scheint sich also eher um einen banalen Fall von sexuellem Missbrauch zu handeln.«

Michael schoss von seinem Sessel hoch.

»Banal? Was ist denn daran banal?«

»So reden wir halt, Mickey. Das hat nichts zu bedeuten.« Rebus zuckte erneut die Achseln und trank sein Glas leer.

»Na ja, John«, sagte Michael und setzte sich wieder hin. »Ich meine, wir beide haben doch auch Töchter. Wie kannst du so locker darüber reden? Ich meine, schon allein die Vorstellung ist doch beängstigend.« Er schüttelte bedächtig den

Kopf mit dem typischen Ausdruck von Solidarität mit den Betroffenen, aber auch aus Erleichterung darüber, dass ihn der ganze Horror nichts anging, zumindest diesmal nicht. »Es ist beängstigend«, wiederholte er. »Und das ausgerechnet in Edinburgh. Ich meine, man würde doch nie auf die Idee kommen, dass so etwas in Edinburgh passiert, oder?«

»In Edinburgh passiert mehr, als man normalerweise annimmt.«

»Ach ja.« Michael zögerte. »Ich bin erst letzte Woche dort in einem Hotel aufgetreten.«

»Davon hast du mir ja gar nichts gesagt.«

Nun war es an Michael, die Achseln zu zucken.

»Hätte es dich denn interessiert?«, fragte er.

»Vermutlich nicht«, sagte Rebus, »aber ich wäre trotzdem gekommen.«

Michael lachte. Es war dieses typische Geburtstagslachen – oder das Lachen, wenn man zufällig Geld in einer alten Jacke gefunden hatte.

»Noch einen Whisky, Sir?«, sagte er.

»Ich hab schon gedacht, du würdest nie fragen.«

Rebus setzte seine Betrachtung des Zimmers fort, während Michael ans Barfach ging.

»Und wie läuft die Kunst?«, fragte er. »Es interessiert mich wirklich.«

»Alles prima«, sagte Michael. »Eigentlich sogar ausgezeichnet. Es ist die Rede von einem kleinen Spot im Fernsehen, aber das glaube ich erst, wenn 's soweit ist.«

»Super.«

Ein weiterer Drink landete in Rebus' bereitwilliger Hand.

»Ja, und ich arbeite an einem neuen Programmteil. Es ist allerdings eine etwas unheimliche Sache.« Ein schmaler Streifen Gold blitzte an Michaels Hand auf, als er das Glas an seine Lippen setzte. Es musste eine teure Uhr sein, sie hatte nämlich keine Zahlen auf dem Zifferblatt. Rebus hatte den Eindruck, je teurer etwas war, desto weniger schien es herzumachen – winzige Hi-Fi-Anlagen, Uhren ohne Ziffern, die durchsichtigen Dior-Socken an Michaels Füßen.

Er biss auf den Köder seines Bruders an und fragte: »Um was geht es denn?«

»Nun ja«, sagte Michael und beugte sich vor. »Ich versetze Leute aus dem Publikum zurück in frühere Leben.«

»Frühere Leben?«

Rebus starrte auf den Fußboden, als ob er den hell- und dunkelgrün gemusterten Teppich bewunderte.

»Ja«, fuhr Michael fort. »Reinkarnation, Wiedergeburt, solche Sachen. Das muss ich dir doch nicht groß und breit erklären, John. Schließlich bist *du* doch der Christ in unserer Familie.«

»Christen glauben nicht an frühere Leben, Mickey. Nur an zukünftige.«

Michael starrte Rebus an, als ob er ihn zum Schweigen bringen wollte.

»Entschuldige«, sagte Rebus.

»Was ich gerade sagen wollte, ich hab diese Nummer erst letzte Woche zum ersten Mal öffentlich ausprobiert. Allerdings experimentiere ich schon eine Weile bei meinen Privatpatienten damit herum.«

»Privatpatienten?«

»Ja. Sie zahlen mir Geld für eine private Hypnotherapie. Ich bringe sie dazu, dass sie das Rauchen aufgeben, mehr Selbstbewusstsein entwickeln oder nicht mehr ins Bett machen. Einige sind davon überzeugt, dass sie schon mal gelebt haben, und wollen von mir hypnotisiert werden, um den Beweis dafür zu bekommen. Mach dir keine Sorgen. Finanziell ist das alles korrekt. Das Finanzamt kriegt seinen Anteil.«

»Und kannst du es beweisen? Haben sie schon mal gelebt?«

Michael rieb mit einem Finger über den Rand seines Glases, das mittlerweile leer war.

»Du würdest dich wundern«, sagte er.

»Nenn mir ein Beispiel.«

Rebus folgte mit den Augen den Linien des Teppichs. Frühere Leben, sinnierte er, das war ja was. In *seiner* Vergangenheit gab es reichlich Leben.

»Na schön«, sagte Michael. »Ich hab dir doch erzählt, dass ich letzte Woche in Edinburgh aufgetreten bin. Also«, er beugte sich noch weiter vor, »ich hab mir da so eine Frau aus dem Publikum geholt, eine kleine Frau mittleren Alters. Sie war mit Kollegen aus dem Büro unterwegs. Sie ließ sich ziemlich leicht hypnotisieren, vermutlich weil sie nicht so viel getrunken hatte wie ihre Freunde. Als sie dann in Trance war, erklärte ich ihr, wir würden jetzt eine Reise in ihre Vergangenheit machen, in eine Zeit lange, lange, bevor sie geboren wurde. Ich bat sie, an ihre früheste Erinnerung zurückzudenken ...«

Michaels Stimme hatte einen professionellen, aber sehr einschmeichelnden Ton angenommen. Er breitete die Hände aus, als ob er vor Publikum spielte. Rebus, der sich an seinem Glas festhielt, merkte, wie er sich ein wenig entspannte. Er dachte an eine Episode aus ihrer Kindheit zurück, ein Fußballspiel, ein Bruder gegen den anderen. Der warme Matsch nach einem Regenschauer im Juli, und wie ihre Mutter mit hochgekrempelten Ärmeln diesen kichernden Knäuel aus Armen und Beinen in die Badewanne gepackt hatte ...

»... nun ja«, sagte Michael gerade, »sie fing an zu sprechen, und das in einer Stimme, die nicht ganz die ihre war. Es war unheimlich, John. Ich wünschte, du *wärst* dabei gewesen. Das Publikum war ganz still, und mir wurde kalt, dann heiß und dann wieder kalt, und das hatte nichts mit der Heizungsanlage des Hotels zu tun. Es war mir gelungen, verstehst du. Ich hatte die Frau in ein früheres Leben zurückversetzt. Sie war eine Nonne gewesen. Kannst du dir das vorstellen? Eine *Nonne.* Und sie sagte, sie säße allein in ihrer Zelle. Sie beschrieb das Kloster und alles, und dann fing sie an, irgendwas auf Latein zu rezitieren, und einige Leute im Publikum *bekreuzigten* sich sogar. Ich war wie versteinert. Vermutlich standen mir die Haare zu Berge. Ich holte sie so schnell ich konnte aus der Trance zurück. Es dauerte eine ganze Weile, bis die Menge anfing zu applaudieren. Und dann, wahrscheinlich aus purer Erleichterung, fingen ihre Freunde an zu lachen und ihr zuzujubeln, und damit war das Eis gebrochen. Am Ende der Veranstaltung erfuhr ich, dass die Frau eine überzeugte Protestantin war, noch dazu eine eingefleischte Anhängerin der Rangers, und sie schwor Stein und Bein, dass sie kein Wort Latein kann. Aber *irgendwer* in ihr konnte es offensichtlich. Das war vielleicht ein Ding.«

Rebus lächelte.

»Eine hübsche Geschichte, Mickey«, sagte er.

»Aber sie ist wahr.« Michael breitete flehend die Arme aus. »Glaubst du mir nicht?«

»Weiß nicht.«

Michael schüttelte den Kopf.

»Du musst ein ziemlich schlechter Polizist sein, John. Ich hatte etwa hundertfünfzig Zeugen um mich. Unanfechtbar.«

Rebus konnte sich nicht von dem Muster im Teppich losreißen.

»Eine Menge Leute glauben an frühere Leben, John.«

Frühere Leben ... Ja, er glaubte schon an einige Dinge ... An Gott ganz gewiss ... Aber frühere Leben ... Ohne Vorwarnung schrie ihn ein Gesicht aus dem Teppich an, eingesperrt in einer Zelle.

Er ließ sein Glas fallen.

»John? Was ist los? O Gott, du siehst aus, als hättest du einen ...«

»Nein, nein, es ist nichts.« Rebus hob sein Glas auf und stand auf. »Es ist nur ... Mir fehlt nichts. Es ist nur«, er sah auf seine Uhr, eine Uhr mit Ziffern, »ich sollte jetzt wohl besser gehen. Ich hab heute Abend Dienst.«

Michael lächelte schwach. Er war froh, dass sein Bruder nicht bleiben würde, aber gleichzeitig schämte er sich für seine Erleichterung.

»Wir sollten uns bald mal wieder treffen«, sagte er, »auf neutralem Terrain.«

»Ja«, sagte Rebus und sog noch einmal den starken Geruch nach kandierten Äpfeln ein. Er fühlte sich ein bisschen schlapp, ein bisschen zittrig, als hätte er sich zu weit von seinem Terrain entfernt. »Das machen wir.«

Ein- bis dreimal im Jahr, bei Hochzeiten, Beerdigungen oder zu Weihnachten, am Telefon, versprachen sie sich dieses Treffen. Das Versprechen an sich war mittlerweile zu einem Ritual geworden; man konnte es gefahrlos geben und genauso gefahrlos ignorieren.

»Das machen wir.«

Rebus schüttelte Michael an der Tür die Hand. Während er sich an dem BMW vorbei zu seinem eigenen Auto flüchtete, dachte er darüber nach, wie ähnlich er und sein Bruder sich eigentlich waren. »Ah, ihr seid beide eurer Mutter wie aus dem Gesicht geschnitten«, bemerkten Onkel und Tanten gelegentlich in ihren trübseligen kalten Zimmern. Das war aber auch schon alles. John Rebus wusste, dass das Braun seiner Haare eine Spur heller war als das von Michael und das Grün seiner Augen eine Spur dunkler. Er wusste außerdem, dass die Unterschiede zwischen ihnen so groß waren, dass die Ähnlichkeiten dagegen völlig bedeutungslos schienen. Sie waren Brüder ohne Sinn für Brüderlichkeit. Brüderlichkeit gehörte der Vergangenheit an.

Er winkte einmal vom Auto aus und war fort. In etwa einer Stunde würde er wieder in Edinburgh sein und eine halbe Stunde später dann im Dienst. Er wusste, warum er sich in Michaels Haus niemals wohl fühlen würde. Es lag an Chrissies Hass auf ihn, an ihrem unerschütterlichen Glauben, dass er allein für das Scheitern seiner Ehe verantwortlich sei. Vielleicht hatte sie ja sogar Recht. In Gedanken versuchte er, die Aufgaben abzuhaken, die in den nächsten sieben oder acht Stunden mit Sicherheit auf ihn zukommen würden. Er musste den Papierkram zu einem Fall von Einbruch mit schwerer Körperverletzung erledigen. Das war eine ziemlich üble Sache gewesen. Die Kriminalpolizei war ja schon unterbesetzt, und durch diese Entführungen würde alles noch enger werden. Diese beiden Mädchen, Mädchen im Alter seiner Tochter. Am besten gar nicht darüber nachdenken. Inzwischen würden sie tot sein oder wünschen, sie wären tot. Gott sei ihnen gnädig. Und das ausgerechnet in Edinburgh, in seiner geliebten Stadt.

Ein Wahnsinniger lief frei herum.

Die Menschen blieben in ihren Häusern.

Und ein Schrei tauchte in seiner Erinnerung auf.

Rebus zuckte die Achseln und spürte leichte Verschleißerscheinungen in einer seiner Schultern. Jedenfalls war es nicht sein Fall. Noch nicht.

Im Wohnzimmer schenkte Michael Rebus sich einen weiteren Whisky ein. Er drehte die Stereoanlage voll auf, dann griff er unter seinen Sessel und zog nach einigem Tasten einen Aschenbecher hervor, der dort versteckt gewesen war.

TEIL EINS

»Überall sind Anhaltspunkte«

1

Auf den Stufen zur Polizeistation Great London Road in Edinburgh zündete sich John Rebus seine letzte für diesen Tag erlaubte Zigarette an, bevor er die imposante Tür aufstieß und hineinging.

Das Gebäude war alt, der Fußboden marmoriert und dunkel. Es hatte etwas von der verblassenden Grandezza einer toten Aristokratie an sich. Es hatte Charakter.

Rebus winkte dem Dienst habenden Sergeant zu, der gerade alte Fotos vom Anschlagbrett riss und durch neue ersetzte. Er stieg die große geschwungene Treppe zu seinem Büro hinauf. Campbell wollte gerade gehen.

»Hallo, John.«

McGregor Campbell, wie Rebus Detective Sergeant, war dabei, Hut und Mantel anzuziehen.

»Was gibt's Neues, Mac? Wird's eine hektische Nacht werden?« Rebus begann, die Nachrichten auf seinem Schreibtisch durchzusehen.

»Ich hab keine Ahnung, John, aber heute war hier die Hölle los, das kann ich dir sagen. Da ist ein Brief für dich vom Chef persönlich.«

»Ach ja?« Rebus schien mit einem anderen Brief beschäftigt zu sein, den er gerade geöffnet hatte.

»Ja, John. Mach dich auf was gefasst. Ich glaube, du sollst für diesen Entführungsfall abgestellt werden. Viel Glück. Ich geh jetzt ins Pub, den Boxkampf in der BBC ansehen. Müsste noch rechtzeitig dort sein.« Campbell sah auf seine Uhr. »Ja, ist noch reichlich Zeit. Ist was nicht in Ordnung, John?«

Rebus fuchtelte mit dem leeren Umschlag vor ihm in der Luft herum. »Wer hat den hergebracht, Mac?«

»Keinen Schimmer, John. Was ist damit?«

»Schon wieder so ein Spinnerbrief.«

»Ach ja?« Campbell schielte Rebus über die Schulter und betrachtete die mit Schreibmaschine getippte Notiz. »Sieht nach demselben Kerl aus, findest du nicht?«

»Sehr scharfsinnig beobachtet, Mac, wenn man bedenkt, dass es haargenau dieselbe Nachricht ist.«

»Und was ist mit der Schnur?«

»Die ist auch dabei.« Rebus nahm ein kurzes Stück Schnur von seinem Schreibtisch. In der Mitte war ein einfacher Knoten.

»Verdammt merkwürdige Angelegenheit.« Campbell ging zur Tür. »Dann bis morgen, John.«

»Ja, ja, bis dann, Mac.« Rebus wartete, bis er hinausgegangen war. »Ach, Mac!« Campbell erschien wieder in der Tür.

»Ja?«

»Maxwell hat gewonnen«, sagte Rebus lächelnd.

»Was bist du doch für ein Fiesling, Rebus.« Mit zusammengebissenen Zähnen stolzierte Campbell aus der Wache.

»Einer von der alten Schule«, sagte Rebus zu sich selbst. »Also, was könnte ich für Feinde haben?«

Er betrachtete den Brief erneut, dann untersuchte er den Umschlag. Nur sein Name stand darauf, ungleichmäßig getippt. Die Nachricht war abgegeben worden, genau wie beim ersten Mal. In der Tat verdammt merkwürdig.

Er ging wieder die Treppe hinunter zum Empfang.

»Jimmy?«

»Ja, John.«

»Hast du das hier gesehen?« Er zeigte dem Dienst habenden Sergeant den Briefumschlag.

»Das?« Der Sergeant runzelte nicht nur die Stirn, sondern schien das ganze Gesicht in Falten zu legen. Nur vierzig Jahre bei der Truppe konnten einen Menschen so weit bringen, vierzig Jahre voller Fragen und Rätsel; Kreuze, die man zu tragen hatte. »Der muss unter der Tür durchgeschoben worden sein, John. Ich hab ihn selbst da vorne auf dem Fußboden gefunden.« Er deutete vage in Richtung Eingangstür. »Ist was damit?«

»Ach nein, eigentlich nicht. Danke, Jimmy.«

Doch Rebus wusste, dass ihm dieser kleine Brief die ganze Nacht keine Ruhe lassen würde, und das nur wenige Tage, nachdem er die erste anonyme Nachricht bekommen hatte. Er legte beide Briefe nebeneinander auf seinen Schreibtisch. Die Schrift einer alten Schreibmaschine, vermutlich einer tragbaren. Das S war ungefähr einen Millimeter höher als die übrigen Buchstaben. Billiges Papier ohne Wasserzeichen. Das in der Mitte geknotete Stück Schnur war mit einem scharfen Messer oder einer Schere abgeschnitten worden. Die Nachricht. Dieselbe mit Schreibmaschine getippte Nachricht.

ÜBERALL SIND ANHALTSPUNKTE.

Das mochte ja durchaus sein. Jedenfalls war es das Werk eines Spinners, irgendein dummer Scherz. Aber warum er? Es ergab keinen Sinn. In dem Moment klingelte das Telefon.

»Detective Sergeant Rebus?«

»Am Apparat.«

»Rebus, hier ist Chief Inspector Anderson. Haben Sie meine Nachricht erhalten?«

Anderson. Ausgerechnet Anderson. Der hatte ihm gerade noch gefehlt. Von einem Spinner zum nächsten.

»Ja, Sir«, sagte Rebus, der sich den Hörer unter das Kinn geklemmt hatte und besagten Brief auf seinem Schreibtisch aufriss.

»Gut. Können Sie in zwanzig Minuten hier sein? Die Besprechung findet in der Einsatzzentrale in der Waverley Road statt.«

»Ich werde da sein, Sir.«

In der Leitung ertönte das Freizeichen, während Rebus las. Es war also wahr, es war offiziell. Er wurde für den Entführungsfall abgestellt. Gott, was für ein Leben. Er steckte die Zettel, die Briefumschläge und die Schnur in seine Jackentasche und sah sich frustriert im Büro um. Wer verscheißerte hier wen? Ein göttlicher Eingriff wäre nötig, innerhalb einer halben Stunde in der Waverley Road Station zu sein. Und wann sollte er seine übrige Arbeit erledigen? Er hatte drei Fälle, die in Kürze vor Gericht gingen, dazu noch etwa ein halbes Dutzend, bei denen dringend der Papierkram erledigt werden musste, bevor er sich an gar nichts mehr erinnerte. Eigentlich wäre es sogar ganz schön, sie einfach aus dem Gedächtnis zu streichen. Sie auszulöschen. Er schloss die Augen. Und öffnete sie wieder. Der Papierkram lag noch da, unübersehbar. Sinnlos. Immer hinkte man hinterher. Sobald er einen Fall abgeschlossen hatte, traten zwei oder drei neue an seine Stelle. Wie hieß doch gleich dieses Wesen? Hydra, oder? Das war's, dagegen kämpfte er an. Immer wenn er einen Kopf abgeschlagen hatte, landeten mindestens zwei neue in seinem Eingangskorb. Aus dem Urlaub zurückzukommen war ein Alptraum.

Und jetzt würden sie ihm auch noch Felsblöcke geben, die er den Hügel hinaufschieben sollte.

Er schaute zur Decke.

»Mit Gottes Hilfe«, flüsterte er. Dann ging er zu seinem Auto.

II

Die Sutherland Bar war eine beliebte Kneipe. Hier gab es keine Musikbox, keine Videospiele, keine einarmigen Banditen. Die Ausstattung war spartanisch, das Fernsehbild flackerte und sprang die meiste Zeit. Frauen waren bis weit in die sechziger Jahre dort nicht willkommen gewesen. Anscheinend hatte man etwas zu verbergen gehabt, nämlich das beste Bier vom Fass in ganz Edinburgh. McGregor Campbell trank einen Schluck aus seinem schweren Pint-Glas, den Blick starr auf den Fernseher über der Bar gerichtet.

»Wer gewinnt?«, fragte eine Stimme neben ihm.

»Ich weiß nicht«, sagte er und wandte sich der Stimme zu. »Ach, hallo Jim.«

Ein stämmiger Mann saß neben ihm, das Geld schon in der Hand, und wartete darauf, bedient zu werden. Seine Augen waren ebenfalls auf den Fernseher gerichtet. »Ist ja ein klasse Kampf«, sagte er. »Ich schätze, Mailer gewinnt.«

Mac Campbell hatte eine Idee.

»Nein, ich tippe auf Maxwell, der wird haushoch gewinnen. Hast du Lust zu wetten?«

Der stämmige Mann suchte in seiner Tasche nach Zigaretten und beäugte den Polizisten.

»Wie viel?«, fragte er.

»Einen Fünfer?«, sagte Campbell.

»Abgemacht. Tom, mach mir doch mal bitte ein Pint. Möchtest du auch noch was, Mac?«

»Noch mal das Gleiche, danke.«

Eine Zeit lang saßen sie schweigend da, tranken Bier und sahen dem Kampf zu. Hinter ihnen waren ab und zu gedämpfte Jubelschreie zu hören, wenn einer der Kämpfer einen Treffer landete oder einem Schlag auswich.

»Sieht gut aus für deinen Mann, wenn der Kampf über alle Runden geht«, sagte Campbell und bestellte noch mehr Bier.

»Ja, aber lass uns erst mal abwarten. Wie läuft's übrigens bei der Arbeit?«

»Prima, und bei dir?«

»Zurzeit ist es 'ne verdammte Schinderei, wenn du's unbedingt wissen willst.« Während er redete, fiel etwas Asche auf seine Krawatte. Er nahm die Zigarette die ganze Zeit nicht aus dem Mund, obwohl sie manchmal gefährlich wackelte. »Eine absolute Schinderei.«

»Bist du immer noch hinter dieser Drogengeschichte her?«

»Nicht so richtig. Man hat mir die Entführungssache aufs Auge gedrückt.«

»Ach ja? Da sitzt Rebus jetzt auch dran. Pass auf, dass du *dem* nicht auf die Nerven gehst.«

»Zeitungsleute gehen allen auf die Nerven, Mac. Das gehört einfach dazu.«

Obwohl Mac Campbell Jim Stevens gegenüber immer ein wenig misstrauisch war, war er dennoch dankbar für diese Freundschaft, so angespannt und schwierig sie auch manchmal war, denn dadurch hatte er schon eine ganze Reihe Informationen bekommen, die ihm beruflich weitergeholfen hatten. Die pikantesten Happen behielt Stevens natürlich für sich. Daraus bestanden schließlich »Exklusivberichte«. Aber er war immer bereit, mit sich handeln zu lassen, und Campbell hatte den Eindruck, dass häufig gerade die harmlosesten Informationen, vermischt mit ein bisschen Klatsch, Stevens' Bedürfnissen durchaus entsprachen. Er war wie eine Elster. Er sammelte wahllos, was ihm in die Quere kam, und bewahrte viel mehr auf, als er je brauchen würde. Aber bei Reportern konnte man nie wissen. Campbell war jedenfalls froh, Stevens zum Freund und nicht zum Feind zu haben.

»Und was passiert jetzt mit deinem Drogendossier?«

Jim Stevens zuckte mit seinen zerknitterten Schultern.

»Im Augenblick steht da eh nichts drin, was euch Jungs viel nützen könnte. Ich werde die Sache allerdings nicht völlig fallen lassen, falls du das meinst. Das ist ein zu großes Schlangennest, diese Typen darf man nicht ungeschoren davonkommen lassen. Ich werde die Augen weiter offen halten.«

Eine Glocke läutete die letzte Kampfrunde ein. Zwei schwitzende, völlig erschöpfte Körper stürzten sich aufeinander und wurden zu einem einzigen Knoten aus Armen und Beinen.

»Sieht immer noch gut aus für Mailer«, sagte Campbell, den allmählich ein ungutes Gefühl beschlich. Das konnte doch wohl nicht wahr sein. So etwas würde Rebus ihm doch nicht antun. Plötzlich wurde Maxwell, der langsamere und schwerere der beiden Kämpfer, von einem kräftigen Schlag ins Gesicht getroffen und taumelte zurück. In der Bar brach ein riesiges Getöse aus, man roch Blut und Sieg. Campbell starrte in sein Glas. Maxwell wurde stehend ausgezählt. Es war vorbei. Eine Sensation in den letzten Sekunden des Kampfes, nach Meinung des Kommentators.

Stevens streckte seine Hand aus.

Ich bringe diesen verdammten Rebus um, dachte Campbell. Ich werde ihn einfach umbringen.

Später, über etlichen Bieren, die von Campbells Geld bezahlt wurden, erkundigte sich Jim Stevens nach Rebus.

»Sieht also so aus, als würde ich ihn endlich kennen lernen?«

»Vielleicht, vielleicht aber auch nicht. Er versteht sich nicht gerade gut mit Anderson, kann also sein, dass er die Scheißarbeit aufs Auge gedrückt bekommt und den ganzen Tag am Schreibtisch sitzt. Allerdings kommt John Rebus eigentlich mit niemandem so richtig gut aus.«

»Ach?«

»Na ja, ich nehme an, so schlimm ist er gar nicht, aber er macht es einem nicht leicht, ihn zu mögen.« Um dem fragenden Blick seines Freundes auszuweichen, begann Campbell die Krawatte des Reporters zu studieren. Die jüngste Schicht Zigarettenasche hatte sich wie ein Schleier über diverse, bereits recht alte Flecken gelegt. Einiges sah aus wie Ei, dazu Fett und Alkoholflecken. Die schmuddeligsten Reporter waren stets die gewieftesten, und Stevens war gewieft, so gewieft, wie man nach zehn Jahren bei einer lokalen Zeitung nur sein konnte. Es hieß, er hätte schon Stellen bei Londoner Zeitungen abgelehnt, bloß weil er gerne in Edinburgh lebte. Und am meisten liebte er an seinem Job, dass dieser ihm die Gelegenheit gab, die finsteren Abgründe dieser Stadt aufzudecken – Verbrechen, Korruption, Gangs und Drogen. Er war ein besserer Detektiv als jeder andere, den Campbell kannte, und das war vielleicht auch der Grund, weshalb die hohen Tiere bei der Polizei ihn nicht mochten und ihm misstrauten. Und das war wohl Beweis genug dafür, dass er seine Arbeit gut machte. Campbell beobachtete, wie etwas Bier aus Stevens' Glas auf dessen Hose tropfte.

»Dieser Rebus«, sagte Stevens und wischte sich den Mund ab, »das ist doch der Bruder von dem Hypnotiseur, oder etwa nicht?«

»Muss er wohl. Ich hab ihn zwar nie danach gefragt, aber es kann nicht allzu viele Leute mit so einem Namen geben, oder?«

»Das hab ich mir auch gedacht.« Er nickte vor sich hin, als würde er etwas äußerst Wichtiges bestätigen.

»Na und?«

»Ach, nichts. Fiel mir nur so auf. Und er ist nicht sehr beliebt, hast du gesagt?«

»So hab ich das nicht gemeint. Im Grunde tut er mir sogar Leid. Der arme Kerl hat genug Mist am Hals. Und jetzt kriegt er auch noch Briefe von irgend so einem Spinner.«

»Briefe von einem Spinner?« Stevens zündete sich eine weitere Zigarette an und war für einen Augenblick in Rauch eingehüllt. Zwischen den beiden Männern hing der übliche blaue Pubdunst.

»Ich hätte dir das eigentlich gar nicht erzählen dürfen. Das war *streng* vertraulich.«

Stevens nickte.

»Selbstverständlich. Es interessiert mich halt nur. Solche Sachen kommen also tatsächlich vor?«

»Nicht oft. Und schon gar nicht so merkwürdige wie die, die er kriegt. Ich meine, da stehen keine Beschimpfungen drin oder so. Sie sind einfach ... merkwürdig.«

»Erzähl mal. Was ist das denn?«

»Nun ja, in jedem ist ein Stück Schnur mit einem Knoten in der Mitte und dann so eine Nachricht, dass überall Anhaltspunkte wären.«

»Verdammt. Das ist in der Tat seltsam. Die sind schon eine seltsame Familie. Der eine ist Hypnotiseur und der andere kriegt anonyme Briefe. Er war doch bei der Armee, oder?«

»John, ja. Woher weißt du das?«

»Ich weiß alles, Mac. Das ist mein Job.«

»Was auch noch komisch ist, er will nicht darüber reden.«

Der Reporter wirkte erneut interessiert. Und wenn ihn etwas interessierte, dann fingen seine Schultern leicht an zu beben. Er starrte auf den Fernseher.

»Er will nicht über die Armee reden?«

»Kein Wort. Ich hab ihn schon mehrmals danach gefragt.«

»Wie ich schon sagte, Mac, das ist eine seltsame Familie. Trink aus, ich hab noch reichlich von deinem Geld übrig.«

»Du bist ein Schweinehund, Jim.«

»Durch und durch«, sagte der Reporter und lächelte zum zweiten Mal an diesem Abend.

III

»Meine Herren, und natürlich auch meine Damen, danke, dass Sie sich so rasch hier eingefunden haben. Das hier wird für die Zeit der Ermittlungen das Operationszentrum sein. Wie Ihnen allen bekannt ist ...«

Detective Chief Superintendent Wallace verstummte mitten im Satz, als die Tür zum Ermittlungszimmer abrupt aufging und John Rebus, dem sich sofort alle Blicke zuwandten, hereinkam. Er schaute sich verlegen um und schenkte seinem Vorgesetzten hoffnungsvoll, aber vergeblich, ein entschuldigendes Lächeln. Dann setzte er sich auf einen Stuhl in der Nähe der Tür.

»Was ich gerade sagen wollte«, fuhr der Superintendent fort.

Rebus rieb sich die Stirn und betrachtete die anwesenden Beamten. Er wusste, was der alte Knabe sagen würde, und was er im Augenblick am wenigsten brauchen konnte, waren altväterliche aufmunternde Worte. Der Raum war voller Leute. Viele von ihnen wirkten müde, als ob sie schon eine ganze Zeit an dem Fall arbeiteten. Die frischeren und aufmerksameren Gesichter gehörten den neuen Jungs, die zum Teil aus Polizeistationen außerhalb der Stadt geholt worden waren. Zwei oder drei von ihnen hielten Notizbuch und Stift bereit, fast so, als wären sie wieder in der Schule. In der ersten Reihe saßen zwei Frauen mit übereinander geschlagenen Beinen und schauten zu Wallace auf, der jetzt so richtig in Fahrt war und vor der Tafel auf und ab stolzierte wie ein shakespearescher Held in einer schlechten Schulaufführung.

»Zwei Todesfälle also. Ja. Todesfälle, muss ich leider sagen.« Ein erwartungsvoller Schauder lief durch den Raum. »Die Leiche von Sandra Adams, elf Jahre, wurde heute Abend um sechs Uhr auf einem unbebauten Grundstück in der Nähe des Bahnhofs Haymarket gefunden und die von Mary Andrews um zehn vor sieben in einem Schrebergarten im Stadtteil Oxgangs. An beiden Tatorten sind bereits Beamte tätig, und am Ende dieser Besprechung werde ich diejenigen von Ihnen benennen, die die Kollegen dort unterstützen sollen.«

Rebus bemerkte, dass mal wieder die übliche Hackordnung eingehalten wurde – Inspektoren im vorderen Teil des Raums, Sergeants und der Rest im hinteren. Selbst mitten in einem Mordfall gibt es eine Hackordnung. Die britische Krankheit. Und er war ganz unten gelandet, weil er zu spät gekommen war. Ein weiterer Minuspunkt auf einer schwarzen Liste, die sicher irgendwer im Hinterkopf führte.

Bei der Armee hatte er immer zu den Spitzenleuten gehört. Er war Fallschirmjäger gewesen, hatte die Ausbildung für den Special Air Service gemacht und war in seinem Kurs der Beste gewesen. Dann war er für eine Sondertruppe für Spezialaufgaben ausgewählt worden. Er hatte seinen Orden und seine Auszeichnungen. Es war eine gute Zeit gewesen und gleichzeitig das Schlimmste, was er je erlebt hatte, eine Zeit voller

Stress und Entbehrungen, voll Betrug und brutaler Gewalt. Und als er den Dienst quittierte, hatte die Polizei ihn nur widerwillig aufgenommen. Mittlerweile wusste er, dass das mit dem Druck zu tun hatte, den die Armee ausgeübt hatte, damit er den Job bekam, den er haben wollte. Einige Leute nahmen so etwas übel, und die hatten ihm seitdem immer wieder Bananenschalen in den Weg geworfen. Doch er war ihren Fallen ausgewichen, hatte seinen Job gemacht und auch hier seine, wenn auch nur widerwillig erteilten, Auszeichnungen erhalten. Aber es bestand wenig Aussicht auf Beförderung, und das hatte ihn dazu veranlasst, einige missliebige Dinge zu sagen, und die wurden ihm immer wieder vorgehalten. Und dann hatte er einmal nachts in einer Zelle einem widerspenstigen Kerl eins auf die Rübe gegeben. Gott möge ihm vergeben, er hatte einfach für einen Augenblick den Kopf verloren. Wegen dieser Sache hatte es dann noch mehr Ärger gegeben. Nun ja, die Welt war halt so, wie sie war, und schön war sie bestimmt nicht. Er lebte in einem alttestamentarischen Land, einem Land der Barbarei, und das Motto hieß Auge um Auge, Zahn um Zahn.

»Morgen, sobald die Obduktionen durchgeführt sind, werden wir Ihnen natürlich weitere Informationen zur Verfügung stellen können. Aber ich denke, dass es für den Augenblick genügt. Ich gebe jetzt das Wort an Chief Inspector Anderson weiter, der Ihnen Ihre vorläufigen Aufgaben zuteilen wird.«

Rebus bemerkte, dass Jack Morton, der in einer Ecke saß, eingenickt war. Wenn ihn keiner weckte, würde er gleich anfangen zu schnarchen. Rebus lächelte, doch dieses Lächeln wurde sofort wieder von einer Stimme vorne im Raum erstickt, der Stimme von Anderson. Das hatte Rebus gerade noch gefehlt. Anderson, der Mann, der im Mittelpunkt seiner missliebigen Bemerkungen gestanden hatte. Einen furchtbaren Augenblick lang glaubte er die Vorsehung am Werk. Anderson leitete die Ermittlungen. Anderson verteilte die Aufgaben. Rebus nahm sich vor, in Zukunft nicht mehr zu beten. Vielleicht würde Gott diesen Wink ja verstehen und einen der wenigen Anhänger, die ihm auf diesem fast völlig gottlosen Planeten noch geblieben waren, nicht mehr so schinden.

»Genmill und Hartley werden die Befragungen von Haus zu Haus übernehmen.«

Gott sei Dank, dass ihm das nicht aufs Auge gedrückt worden war. Es gab nur eines, was noch schlimmer war als Von-Haus-zu-Haus ...

»Eine erste Durchsicht der einschlägigen Akten werden die Detective Sergeants Morton und Rebus übernehmen.«

... und das war's dann auch schon.

Danke, lieber Gott, vielen Dank. Genauso habe ich mir den heutigen Abend vorgestellt. Es war mein sehnlichster Wunsch, die Fallgeschichten von sämtlichen verdammten Perversen und Sexualstraftätern in Ost-Mittel-Schottland durchzuackern. Du musst mich wirklich abgrundtief hassen. Bin ich Hiob oder was? Ist es das?

Aber es war keine himmlische Stimme zu vernehmen, nur die Stimme des satanischen, anzüglich grinsenden Anderson, dessen Finger langsam im Personalverzeichnis blätterten. Er hatte feuchte, volle Lippen, es war allgemein bekannt, dass seine Frau ihn betrog, und sein Sohn war zu allem Überfluss ein wandernder Dichter. Rebus häufte einen Fluch nach dem anderen auf die Schultern des pedantischen, spindeldürren Beamten. Dann trat er Jack Morton ans Bein, was diesen schnaufend und prustend aus seinem Schlummer riss.

Mal wieder eine von diesen Nächten.

IV

»Mal wieder eine von diesen Nächten«, sagte Jack Morton. Er zog genüsslich an seiner kurzen Filterzigarette, hustete laut, nahm ein Taschentuch heraus und spuckte irgendwas hinein.

Dann betrachtete er den Inhalt des Taschentuchs. »Aha, ein neuer untrüglicher Beweis«, sagte er. Trotzdem wirkte er ziemlich besorgt.

Rebus lächelte. »Du solltest mit dem Rauchen aufhören, Jack«, sagte er.

Sie saßen zusammen an einem Schreibtisch, auf dem etwa hundertfünfzig Akten über in Schottland bekannte Sexualstraftäter gestapelt waren. Eine schicke junge Sekretärin, die offensichtlich die Überstunden genoss, die die Ermittlungen in einem Mordfall mit sich brachten, schleppte immer noch mehr Akten ins Büro. Rebus hatte sie jedes Mal, wenn sie hereinkam, mit gespielter Entrüstung angestarrt. Er hoffte, sie damit zu verscheuchen, aber wenn sie nun noch einmal wiederkäme, würde er echt sauer.

»Nein, John, das sind diese verdammten Filterdinger. Die kann ich einfach nicht vertragen. Scheiß auf den Arzt.«

Mit diesen Worten nahm Morton die Zigarette aus dem Mund, brach den Filter ab und steckte die nun lächerlich kurze Zigarette zwischen seine dünnen, blutleeren Lippen.

»Das ist besser. Das schmeckt mehr wie 'ne Kippe.«

Zwei Dinge hatte Rebus immer bemerkenswert gefunden. Zum einen, dass er Jack Morton mochte und gleichermaßen von ihm gemocht wurde. Zum anderen, dass Morton so heftig an einer Zigarette ziehen und gleichzeitig so wenig Rauch ausstoßen konnte. Wohin verschwand dieser ganze Rauch? Er hatte keine Erklärung dafür.

»Wie ich sehe, verkneifst du's dir heut Abend, John.«

»Ich beschränke mich auf zehn pro Tag, Jack.«

Morton schüttelte den Kopf.

»Zehn, zwanzig oder dreißig pro Tag. Glaub mir, John, das ändert im Grunde gar nichts. Es läuft letztlich darauf hinaus, entweder du lässt es oder du lässt es nicht; und wenn du nicht aufhören kannst, dann kannst du auch genauso gut so viele rauchen wie du willst. Das hat man nachgewiesen. Ich hab darüber in einer Zeitschrift gelesen.«

»Was du nicht sagst, aber wir wissen ja alle, was *du* für Zeitschriften liest, Jack.«

Morton kicherte, wurde von einem weiteren gewaltigen Husten geschüttelt und suchte nach seinem Taschentuch.

»Was für eine scheiß Aufgabe«, sagte Rebus und nahm sich die erste Akte vor.

Die nächsten zwanzig Minuten saßen die beiden Männer schweigend da und blätterten in Berichten über Vergewaltiger, Exhibitionisten, Päderasten, Pädophile, Zuhälter und deren Phantasien. Rebus spürte, wie ihm das Wasser im Munde zusammenlief. Es war, als würde er sich immer wieder selbst dort sehen, jenes Ich, das hinter seinem normalen Verstand lauerte. Sein Mister Hyde à la Robert Louis Stevenson, ein Geschöpf Edinburghs. Er schämte sich seiner gelegentlichen Erektionen. Doch Jack Morton hatte sicher auch welche. Das gehörte zum Beruf ebenso wie der Abscheu, der Hass und die Faszination.

Um sie herum herrschte die übliche nächtliche Betriebsamkeit einer Polizeiwache. Männer in Hemdsärmeln gingen entschlossenen Schrittes an ihrer offenen Tür vorbei, der Tür des Büros, das man ihnen zugewiesen hatte, weitab von allen anderen, damit sie mit ihren schmutzigen Gedanken nur ja niemanden infizierten. Rebus hielt einen Augenblick im Lesen inne und dachte darüber nach, dass sein Büro in der Great London Road einen großen Teil der Ausstattung hier gut gebrauchen könnte – den modernen Schreibtisch (der nicht wackelte und dessen Schubladen sich ganz leicht öffnen ließen), die Aktenschränke (dito) sowie den Getränkeautomaten direkt vor der Tür. Statt des leberfarbenen Linoleums in seinem Büro mit den gefährlich hoch stehenden Rändern gab es hier sogar Teppichboden. Es war eine äußerst angenehme Umgebung, um irgendeinen Perversen oder Mörder ausfindig zu machen.

»Was genau suchen wir eigentlich, Jack?«

Morton schnaubte, warf einen schmalen braunen Ordner

auf den Schreibtisch, sah Rebus an, zuckte die Schultern und zündete sich eine Zigarette an.

»Müll«, sagte er und nahm sich den nächsten Ordner. Ob das eine Antwort auf Rebus' Frage sein sollte, würde er nie erfahren.

»Detective Sergeant Rebus?«

Ein junger Constable, glatt rasiert und mit Akne am Hals, stand in der offenen Tür.

»Ja.«

»Nachricht vom Chef, Sir.«

Er reichte Rebus ein gefaltetes blaues Blatt Papier.

»'ne gute Nachricht?«, fragte Morton.

»Tja, Jack, eine wunderbare Nachricht. Unser Boss schickt uns die folgende überaus freundliche Botschaft: ›Irgendwelche Hinweise aus den Akten?‹ Ende der Nachricht.«

»Möchten Sie eine Antwort schicken, Sir?«, fragte der Constable.

Rebus knüllte das Blatt zusammen und warf es in einen nagelneuen Aluminiumpapierkorb. »Ja, mein Sohn, das möchte ich«, sagte er, »aber ich bezweifle sehr, dass Sie die überbringen wollen.«

Jack Morton wischte sich Asche von der Krawatte und lachte.

Es war mal wieder eine von diesen Nächten. Als Jim Stevens sich endlich auf den Heimweg machte, hatte er seit seinem Gespräch mit Mac Campbell, das bereits vier Stunden zurücklag, nichts Interessantes mehr erfahren. Er hatte Mac erzählt, dass er seine privaten Ermittlungen über Edinburghs gut florierenden Drogenhandel nicht aufgeben wollte, und das entsprach (auch) der Wahrheit. Es wurde für ihn allmählich zu einer Manie, und mochte sein Boss ihn auch für einen Mordfall abstellen, so würde er seine bisherigen Ermittlungen heimlich in seiner spärlichen Freizeit weiterverfolgen, Zeit, die er spät in der Nacht fand, wenn die Druckmaschinen liefen, und die er in immer finstereren Spelunken immer weiter außerhalb der Stadt verbrachte. Denn er wusste, dass er nahe dran war an einem großen Knüller, aber noch nicht nahe genug, um die Hilfe der Gesetzeshüter in Anspruch zu nehmen. Er wollte, dass die Geschichte wasserdicht war, bevor er die Kavallerie herbeirief.

Und er kannte auch die Gefahren. Er wusste, dass er sich auf unsicherem Boden bewegte und durchaus an einem dunklen stillen Morgen zwischen den Docks von Leith landen oder gefesselt und geknebelt in einem Autobahngraben in der Nähe von Perth aufwachen könnte. Doch das machte ihm nichts aus. Es war nur so ein Gedanke, der ihm ab und zu kam, wenn er müde war oder ihn die Edinburgher Drogenszene, der absolut nichts Glamouröses anhaftete, total deprimierte, eine Szene, die in erster Linie in den wild wuchernden Wohnsiedlungen und schäbigen Kneipen mit verlängerter Schanklizenz zu Hause war und nicht in den glitzernden Diskotheken und plüschigen Wohnungen der New Town.

Was er am meisten an der ganzen Sache hasste, war die Tatsache, dass die eigentlichen Drahtzieher so still und heimlich operierten und mit der Szene selbst nichts zu tun hatten. Seiner Meinung nach sollten Verbrecher sich auch die Hände schmutzig machen, im passenden Milieu leben und einen entsprechenden Lebensstil pflegen. Ihm gefielen die Glasgower Gangster der fünfziger und sechziger Jahre, die in den Slums von Gorbals lebten und von dort aus operierten, die ihren Nachbarn illegales Geld liehen und, wenn es nötig war, schon mal einen dieser Nachbarn aufschlitzten. Das war so was wie eine Familienangelegenheit. Überhaupt nicht zu vergleichen mit den Dingen heute. Das hier war etwas völlig anderes und aus diesem Grund hasste er es.

Sein Gespräch mit Campbell war durchaus interessant gewesen, wenn auch aus anderen Gründen. Mit diesem Rebus schien irgendetwas faul zu sein. Und das galt auch für seinen Bruder. Vielleicht steckten sie ja gemeinsam darin. Und wenn die Polizei in diese Sache verwickelt war, dann wäre seine Aufgabe noch viel schwieriger, dafür allerdings auch viel befriedigender.

Doch jetzt brauchte er erst mal einen Durchbruch, einen netten kleinen Durchbruch in seinen Recherchen. Und der konnte nicht mehr weit sein. Für so etwas sagte man ihm nicht umsonst einen Riecher nach.

V

Um halb zwei gönnten sie sich eine Pause. Im Gebäude gab es eine Kantine, die selbst zu dieser unchristlichen Zeit noch auf hatte. Draußen wurde gerade die Mehrzahl der Bagatelldelikte des Tages verübt, aber drinnen war es angenehm warm und gemütlich, und es gab genug Essen und literweise Kaffee für die fleißigen Polizisten.

»Das ist das absolute Chaos«, sagte Morton, während er Kaffee von seinem Unterteller zurück in die Tasse schüttete. »Anderson hat nicht die leiseste Ahnung, was er eigentlich tut.«

»Kann ich 'ne Zigarette von dir haben? Ich hab keine mehr.« Rebus klopfte überzeugend auf seine Taschen.

»Mein Gott, John«, sagte Morton und hielt ihm, schnaufend wie ein alter Mann, die Zigaretten hin, »an dem Tag, an dem du das Rauchen aufgibst, wechsle ich meine Unterwäsche.«

Jack Morton war kein alter Mann, doch wenn er seine Exzesse weiter in diesem Tempo durchzog, würde er vorzeitig einer werden. Er war fünfunddreißig, sechs Jahre jünger als Rebus. Auch er hatte eine gescheiterte Ehe hinter sich. Seine vier Kinder lebten zurzeit bei der Großmutter, während ihre Mutter sich mit ihrem derzeitigen Liebhaber auf einer verdächtig langen Reise befand. Das Ganze war ein einziges Trauerspiel, hatte er Rebus anvertraut, und dieser hatte ihm zugestimmt, weil er selber eine Tochter hatte, die ihm ein schlechtes Gewissen bereitete.

Morton war schon seit zwei Jahrzehnten bei der Polizei, und im Gegensatz zu Rebus hatte er ganz unten angefangen und sich durch pure Plackerei zu seinem gegenwärtigen Rang hochgearbeitet. Er hatte Rebus seine Lebensgeschichte erzählt, als die beiden mal für einen Tag zum Fliegenfischen in der Nähe von Berwick gefahren waren. Es war ein strahlend schöner Tag gewesen, beide hatten einige gute Fänge gemacht, und im Laufe des Tages waren sie Freunde geworden. Rebus war allerdings nicht mit seiner Lebensgeschichte herausgerückt. Jack Morton kam es so vor, als lebte dieser Mann in einer selbstgezimmerten kleinen Gefängniszelle. Besonders zugeknöpft schien er in Bezug auf seine Jahre bei der Armee. Morton wusste, was die Armee bei manchen Männern anrichten konnte, und akzeptierte Rebus' Schweigen. Vielleicht hatte er aus dieser Zeit ein paar Leichen im Keller. Mit so was kannte Morton sich nämlich aus; ein paar seiner spektakulärsten Verhaftungen waren nicht gerade »streng nach Vorschrift« gelaufen.

Heutzutage kümmerte Morton sich nicht mehr um Schlagzeilen und spektakuläre Verhaftungen. Er machte seine Arbeit, kassierte sein Gehalt, dachte ab und zu an seine Rente und die darauffolgenden Jahre, die er hauptsächlich mit Angeln verbringen würde, und soff derweil Frau und Kinder aus seinem Gedächtnis.

»Das ist eine angenehme Kantine«, quetschte Rebus neben seiner Kippe heraus, um irgendwie ein Gespräch in Gang zu setzen.

»Ja, das stimmt. Ich bin ab und zu hier. Ich kenne einen von den Typen aus dem Computerraum. Weißt du, es ist ganz praktisch, jemand, der sich mit diesen Terminals auskennt, in der Tasche zu haben. Die stöbern für dich ein Auto auf, einen Namen oder eine Adresse, so schnell kannst du nicht mit den Augen zwinkern. Und das kostet dich nur ab und zu mal einen Drink.«

»Dann lass die doch unseren Kram aussortieren.«

»Wart's ab, John. Irgendwann werden *alle* Akten im Computer sein. Und dann dauert es nur noch eine Weile, bis die feststellen, dass sie so Arbeitstiere wie uns gar nicht mehr brauchen. Dann gibt's nur noch ein paar Detective Inspectors und einen Computer-Arbeitsplatz.«

»Ich werd 's im Auge behalten«, sagte Rebus.

»Das ist der Fortschritt, John. Wo wären wir ohne den? Dann säßen wir immer noch mit der Pfeife im Mund und einem Vergrößerungsglas in der Hand da und würden Vermutungen anstellen.«

»Da hast du vermutlich Recht, Jack. Aber denk dran, was der Super immer sagt: ›Gebt mir lieber ein Dutzend guter Männer und schickt eure Maschinen zu ihren Schöpfern zurück.‹«

Während er sprach, schaute Rebus sich im Raum um und stellte fest, dass eine der beiden Frauen, die er bei der Besprechung gesehen hatte, allein an einem Tisch saß.

»Und außerdem«, sagte Rebus, »wird es immer einen Platz für Leute wie uns geben, Jack. Die Gesellschaft kommt ohne uns nicht aus. Computer haben keine Intuition. Da sind wir ihnen locker überlegen.«

»Vielleicht, ich weiß nicht. Jedenfalls sollten wir langsam mal wieder zurück, was?« Morton sah auf seine Uhr, trank seine Tasse aus und schob den Stuhl zurück.

»Geh schon mal vor, Jack. Ich komme gleich nach. Ich will nur mal eine Intuition überprüfen.«

»Darf ich mich zu Ihnen setzen?«

Mit einer frischen Tasse Kaffee in der Hand zog Rebus den Stuhl gegenüber der Polizeibeamtin heraus. Ihr Gesicht war hinter der Tageszeitung verborgen. Ihm fiel die schreiende Schlagzeile auf der ersten Seite auf. Offenbar hatte jemand den lokalen Medien ein paar Informationen gesteckt.

»Bitte sehr«, sagte sie, ohne aufzublicken.

Rebus grinste in sich hinein und setzte sich. Dann nippte er an der trüben Instantbrühe.

»Viel zu tun?«, fragte er.

»Ja. Sie doch wohl auch. Ihr Kollege ist vor ein paar Minuten gegangen.«

Scharfsinnig beobachtet, das musste man ihr lassen. Rebus begann sich ein wenig unbehaglich zu fühlen. Er mochte keine biestigen Frauen, und hier hatte er es offenbar mit einer zu tun.

»Ja, das ist er in der Tat. Aber er ist so ein bisschen masochistisch veranlagt. Wir gehen gerade die einschlägigen Akten durch. Ich würde alles tun, um dieses besondere Vergnügen noch etwas hinauszuzögern.«

Von dieser vermeintlichen Beleidigung getroffen, blickte sie endlich auf.

»Dann diene ich Ihnen also als Verzögerungstaktik?«

Rebus zuckte lächelnd die Achseln.

»Als was denn sonst?«, sagte er.

Nun lächelte auch sie. Sie faltete die Zeitung zu, knickte sie zweimal und legte sie vor sich auf die Tischplatte aus Resopal. Dann tippte sie auf die Überschrift.

»Offenbar sind wir in den Schlagzeilen«, sagte sie.

Rebus drehte die Zeitung in seine Richtung.

ENTFÜHRUNGEN IN EDINBURGH – JETZT IST ES MORD!

»Ein echt grausiger Fall«, erklärte er. »Einfach furchtbar. Und die Zeitungen machen die Sache auch nicht besser.«

»Nun ja, in ein paar Stunden werden wir die Autopsieergebnisse haben, und das bringt uns vielleicht ein bisschen weiter.«

»Ich hoffe es. Hauptsache ich bin diese verdammten Akten bald los.«

»Ich dachte immer, die männlichen Kollegen«, sie betonte das Adjektiv, »würde es antörnen, dieses Zeug zu lesen.«

Rebus breitete die Hände aus, eine Geste, die er offenbar von Michael übernommen hatte.

»Da haben Sie genau ins Schwarze getroffen. Wie lange sind Sie schon bei der Truppe?«

Rebus schätzte sie auf dreißig, plus minus zwei Jahre. Sie hatte dichte, kurze braune Haare und eine lange gerade Nase. Sie trug keinen Ring am Finger, aber heutzutage hatte das ja nichts zu bedeuten.

»Lange genug«, sagte sie.

»Hab ich mir gedacht, dass Sie das sagen würden.«

Sie lächelte immer noch – also doch nicht biestig.

»Dann sind Sie klüger, als ich gedacht habe«, sagte sie.

»Sie würden sich wundern.«

Er wurde das Spielchen allmählich leid, da es offensichtlich zu nichts führte. Es bewegte sich alles im Mittelfeld, eher ein Freundschafts- als ein Meisterschaftsspiel. Er sah demonstrativ auf seine Uhr.

»Ich sollte wohl allmählich zurück«, sagte er.

Sie nahm ihre Zeitung wieder auf.

»Haben Sie am Wochenende schon was vor?«, fragte sie.

Rebus setzte sich wieder hin.

VI

Um vier Uhr verließ er die Polizeiwache. Die Vögel gaben sich Mühe, die Menschen davon zu überzeugen, dass der Morgen bereits graute, aber niemand schien ihnen auf den Leim zu gehen. Es war immer noch dunkel, und die Luft war kühl.

Er beschloss, sein Auto stehen zu lassen und zu Fuß nach Hause zu gehen, eine Strecke von etwa zwei Meilen. Das brauchte er jetzt; er wollte die kühle, feuchte Luft spüren, die einen morgendlichen Regenschauer verhieß. Er atmete tief durch, versuchte sich zu entspannen, zu vergessen, doch sein Kopf war voll von diesen Akten, und Erinnerungsfetzen aus dem Gelesenen, Horrormeldungen, nicht länger als ein paar Zeilen, verfolgten ihn auf dem ganzen Weg.

Sich an einem acht Monate alten Mädchen zu vergehen. Die Babysitterin hatte die Tat gelassen zugegeben und gesagt, sie hätte es »wegen des Kicks« getan.

Eine Großmutter vor den Augen ihrer beiden Enkel zu vergewaltigen und den Kindern vor dem Gehen noch Süßigkeiten aus einem Glas zu geben. Eine vorsätzliche Tat, von einem fünfzigjährigen Junggesellen begangen.

Einer Zwölfjährigen mit Zigaretten den Namen einer Straßengang in die Brust zu brennen und sie dann in einer brennenden Hütte zurückzulassen. Die Täter wurden nie gefasst.

Und dann der vorliegende Fall: zwei Mädchen zu entführen und sie zu erwürgen, *ohne* sie vorher sexuell missbraucht zu haben. Das, so hatte Anderson erst vor einer halben Stunde erklärt, war eine Perversion der Perversion, und auf seltsame Weise hatte Rebus gewusst, was er meinte. Es ließ die Todesfälle noch willkürlicher erscheinen, noch sinnloser – und noch schockierender.

Jedenfalls hatten sie es nicht mit einem Sexualstraftäter zu tun, zumindest keinem von der üblichen Sorte. Was, wie Rebus zugeben musste, ihre Aufgabe nur noch schwerer machte, weil sie nun mit so etwas wie einem »Serienmörder« konfrontiert waren, der willkürlich zuschlug und keinerlei Hinweise hinterließ, dem es eher darum ging, in das Buch der Rekorde einzugehen, als um irgendwelche »Kicks«. Die Frage war jetzt, würde er bei zwei aufhören? Eher unwahrscheinlich.

Strangulation. Eine furchtbare Art zu sterben. Man kämpfte und trat um sich bis zur Bewusstlosigkeit, Panik, verzweifeltes Schnappen nach Luft, und höchstwahrscheinlich stand der Mörder hinter einem, sodass die Angst kein Gesicht hatte. Man starb, ohne zu wissen durch wen und warum. Rebus hatte beim SAS verschiedene Methoden des Tötens gelernt. Er wusste, wie es sich anfühlte, wenn sich die Garrotte um den eigenen Hals zusammenzog, während man gleichzeitig darauf vertraute, dass der Gegenspieler nicht plötzlich durchdrehte. Eine furchtbare Art zu sterben.

Edinburgh schlief weiter, so wie es bereits seit Hunderten von Jahren schlief. Zwar gab es Geister in den kopfsteingepflasterten Gassen und auf den Wendeltreppen der Mietskasernen in der Old Town, aber das waren aufgeklärte Geister, die sich klar ausdrücken konnten und ehrerbietig waren. Die würden einen nicht mit einem Stück Schnur in Händen aus der Dunkelheit anspringen. Rebus blieb stehen und schaute sich um. Außerdem war es bereits Morgen und jeder gottesfürchtige Geist würde mittlerweile wohlig zugedeckt im Bett liegen, so wie er, John Rebus, ein Mensch aus Fleisch und Blut, es auch bald tun würde.

Kurz vor seiner Wohnung kam er an einem kleinen Lebensmittelladen vorbei, vor dem sich Kästen mit Milch und mit Frühstücksbrötchen stapelten. Der Besitzer hatte sich Rebus gegenüber mal über gelegentliche geringfügige Diebstähle beklagt, wollte aber keine offizielle Beschwerde einreichen. Der Laden war genauso ausgestorben wie die Straße, deren Stille nur durch das ferne Rumpeln eines Taxis auf den Pflastersteinen und den unermüdlichen Morgenchor gestört wurde. Rebus sah prüfend zu den vielen mit Vorhängen zugezogenen Fenstern. Dann grapschte er rasch sechs Brötchen aus einer Lage, stopfte sie in seine Taschen und ging etwas schneller als normal weiter. Kurz darauf blieb er zögernd stehen, dann ging er auf Zehenspitzen zum Laden zurück, der Verbrecher, der an den Ort seines Verbrechens zurückkehrt wie der Hund zu seinem Erbrochenen. Rebus hatte zwar noch nie gesehen, dass ein Hund so etwas tat, aber er konnte sich hierbei auf die Autorität des heiligen Petrus berufen.

Er schaute sich noch einmal um, nahm ein Pint Milch aus einem Kasten und machte sich leise vor sich hin pfeifend davon.

Nichts auf der Welt schmeckte so gut zum Frühstück wie gestohlene Brötchen mit Butter und Marmelade und dazu ein Becher Milchkaffee. Nichts tat so gut wie eine lässliche Sünde.

Schnuppernd betrat er das Treppenhaus seines Mietshauses und nahm den schwachen Katzengeruch wahr, ein ständiges Ärgernis. Er hielt die Luft an, bis er die zwei Treppen hinaufgestiegen war, und fummelte in seiner Jackentasche unter den zerdrückten Brötchen nach seinem Schlüssel.

Die Wohnung fühlte sich feucht an und roch auch feucht. Er sah nach dem Boiler und, wie zu erwarten, war die Zündflamme mal wieder ausgegangen. Fluchend zündete er sie wieder an, stellte den Thermostat ganz hoch und ging ins Wohnzimmer.

Auf dem Bücherregal, in der Schrankwand und auf dem Kaminsims waren immer noch freie Stellen, wo einst Sachen von Rhona gestanden hatten, doch in vielen dieser Lücken hatte er mittlerweile seine eigenen Spuren hinterlassen. Da lagen Rechnungen, unbeantwortete Briefe, alte Aufreißer von Dosen mit billigem Bier und das eine oder andere ungelesene Buch. Rebus sammelte ungelesene Bücher. Es gab einmal eine Zeit, da hatte er tatsächlich die Bücher gelesen, die er kaufte, aber heutzutage schien er viel zu wenig Zeit zu haben. Außerdem war er jetzt kritischer als damals, in jenen längst vergangenen Tagen, wo er ein Buch bis zum bitteren Ende las, ganz gleich ob es ihm gefiel oder nicht. Heutzutage würde er einem Buch, das ihm nicht gefiel, kaum mehr als zehn Seiten lang seine Konzentration schenken.

Das betraf die Bücher, die im Wohnzimmer herumlagen. Die Bücher, die er tatsächlich las, landeten unweigerlich im Schlafzimmer, wo sie in geordneten Reihen wie Patienten im Wartezimmer eines Arztes auf dem Fußboden lagen. Irgendwann würde er mal Urlaub machen, sich ein Cottage in den Highlands oder an der Küste von Fife mieten und all diese Bücher mitnehmen, die darauf warteten, gelesen oder wieder gelesen zu werden, all dieses Wissen, das ihm gehören könnte, wenn er nur einen Buchdeckel aufschlug. Sein Lieblingsbuch, ein Buch, zu dem er mindestens einmal im Jahr griff, war *Schuld und Sühne.* Wenn doch nur, dachte er, heutige

Mörder auch öfter mal ein schlechtes Gewissen zeigen würden. Aber nein, heutzutage prahlten Mörder ihren Freunden gegenüber mit ihren Verbrechen, dann spielten sie in ihrem Stammpub Pool, rieben ihre Queues gelassen und selbstsicher mit Kreide ein und wussten genau, welcher Ball in welcher Reihenfolge eingelocht würde …

Und das, während ganz in der Nähe ein Polizeiwagen untätig herumstand, dessen Insassen nichts weiter tun können, als den Wust von Regeln und Bestimmungen zu verfluchen und die tiefen Abgründe des Verbrechens zu verwünschen. Es war allgegenwärtig, das Verbrechen. Es war die Lebenskraft und das Blut, es war das, was das Leben überhaupt in Gang hielt – betrügen, sich durchlavieren, die Obrigkeit an der Nase herumführen, töten. Je höher man im Verbrechen aufstieg, umso mehr bewegte man sich auf subtile Weise wieder in Richtung Legalität, bis nur noch eine Hand voll Anwälte einem auf die Schliche kommen konnte, und die konnte man sich allemal leisten, die waren immer bereit, sich bestechen zu lassen. Dostojewski hatte das alles gewusst. Cleverer Kerl. Er hatte gespürt, wie alles außer Kontrolle geriet.

Aber der arme alte Dostojewski war tot und im Gegensatz zu John Rebus nicht an diesem Wochenende zu einer Party eingeladen. Häufig lehnte er solche Einladungen ab, weil das bedeutete, dass er seine geschnürten Halbschuhe putzen, ein Hemd bügeln, seinen besten Anzug ausbürsten, ein Bad nehmen und sich etwas Kölnischwasser anspritzen musste. Außerdem musste er sich umgänglich zeigen, trinken und fröhlich sein, sich mit Fremden unterhalten, mit denen zu reden er keine Lust hatte und wofür er auch nicht bezahlt wurde. Mit anderen Worten, es ging ihm auf die Nerven, die Rolle eines normalen menschlichen Wesens spielen zu müssen. Aber er hatte die Einladung angenommen, die ihm Cathy Jackson in der Kantine von Waverley Road gegeben hatte. Natürlich hatte er das.

Und bei dem Gedanken daran pfiff er vor sich hin, während

er sich in der Küche ein Frühstück machte, das er dann mit ins Schlafzimmer nahm. Das war für ihn ein Ritual nach dem Nachtdienst. Er zog sich aus, legte sich ins Bett, stellte den Teller mit den Brötchen auf seine Brust und hielt sich ein Buch vor die Nase. Es war kein sehr gutes Buch. Es ging um Kidnapping. Das Bettgestell hatte Rhona mitgenommen, aber sie hatte ihm die Matratze dagelassen, und so konnte er mühelos nach dem Kaffeebecher greifen, mühelos ein Buch weglegen und sich ein anderes nehmen.

Schon bald schlief er ein. Die Lampe brannte noch, während allmählich die ersten Autos an seinem Fenster vorbeifuhren.

Zur Abwechslung erfüllte der Wecker seinen Zweck und ließ ihn so mühelos von der Matratze hochschnellen, wie ein Magnet Eisenspäne anzieht. Er hatte das Federbett von sich getreten und war schweißgebadet. Er hatte das Gefühl zu ersticken, und plötzlich fiel ihm ein, dass die Heizung immer noch wie ein Dampfkessel brodelte. Auf dem Weg ins Bad, um den Thermostat auszuschalten, bückte er sich an der Wohnungstür und hob die Post auf. Einer der Briefe war unfrankiert und nicht abgestempelt. Auf dem Umschlag stand nur sein Name mit Schreibmaschine getippt. Rebus spürte, wie ihm der Brei aus Brötchen und Butter plötzlich schwer im Magen lag. Er riss den Umschlag auf und zog einen einzelnen Zettel heraus.

FÜR DIE, DIE ZWISCHEN DEN ZEITEN LESEN KÖNNEN.

Jetzt wusste der Verrückte also auch, wo er wohnte. Er warf einen Blick in den Umschlag und war darauf gefasst, wieder ein Stück Schnur mit einem Knoten zu finden. Stattdessen fand er zwei Streichhölzer, die mit einem Faden zu einem Kreuz zusammengebunden waren.

TEIL ZWEI

»Für die, die zwischen den Zeiten lesen können«

VII

Organisiertes Chaos, das war, auf den Punkt gebracht, die Zeitungsredaktion. Organisiertes Chaos in größtem Ausmaß. Stevens wühlte in seinem Ablagekorb, als ob er die berühmte Stecknadel im Heuhaufen suchte. Hatte er es vielleicht irgendwo anders hingelegt? Er zog eine der großen schweren Schubladen an seinem Schreibtisch auf und warf sie rasch wieder zu, aus Angst, etwas von dem Chaos darin könnte entweichen. Dann fasste er sich ein Herz, holte tief Luft und öffnete sie erneut. Vorsichtig versenkte er eine Hand in den Papierwust in der Schublade, als ob ihn dort etwas beißen könnte. Eine große Büroklammer, die von einem Aktenbündel absprang, biss ihn tatsächlich. Sie stach ihn in den Daumen, und er knallte die Schublade zu. Seine Zigarette wippte heftig zwischen seinen Lippen, während er die Redaktion verfluchte, das Journalistengewerbe und die Bäume, den Rohstoff für Papier. Scheiße. Er lehnte sich zurück und kniff die Augen zu, die vom Rauch allmählich heftig brannten. Es war erst elf Uhr morgens, doch schon jetzt war das Büro dermaßen in blauen Dunst gehüllt, als handelte es sich um die Kulisse für eine Sumpfszene aus dem Film *Brigadoon*. Er grapschte sich eine getippte Seite, drehte sie um und begann mit einem Bleistiftstummel darauf herumzukritzeln.

»X (Mister Big?) liefert an Rebus, M. Wie passt dieser Polizist da hinein? Antwort – vielleicht überall, vielleicht nirgends.«

Er hielt inne, nahm die Zigarette aus seinem Mund, steckte eine neue hinein und zündete sie an der Kippe ihrer Vorgängerin an.

»Und jetzt – anonyme Briefe. Drohungen? Ein Code?«

Stevens hielt es für unwahrscheinlich, dass John Rebus nichts davon wusste, dass sein Bruder in der schottischen Drogenszene mitmischte, und wenn er davon wusste, dann bestanden gute Chancen, dass er ebenfalls darin verwickelt war und vielleicht sogar die Ermittlungen in eine falsche Richtung lenkte, um sein eigen Fleisch und Blut zu schützen. Wenn das herauskam, würde es eine fantastische Geschichte werden, doch er wusste, dass er sich auf dünnem Eis bewegte. Niemand würde sich ein Bein ausreißen, um ihm zu helfen, einen Polizisten festzunageln. Und wenn irgendwer rauskriegte, was er vorhatte, dann würde er in ernsten Schwierigkeiten stecken. Zwei Dinge musste er tun: seine Lebensversicherungspolice prüfen und niemandem was von dieser Sache sagen.

»Jim!«

Der Chefredakteur gab ihm ein Zeichen, in die Folterkammer zu kommen. Er stand von seinem Stuhl auf, als ob er sich von etwas Lebendigem losreißen müsste, zog seine lila und pink gestreifte Krawatte gerade und machte sich auf eine Schimpfkanonade gefasst.

»Ja, Tom?«

»Solltest du nicht bei einer Pressekonferenz sein?«

»Hab noch reichlich Zeit, Tom.«

»Welchen Fotografen nimmst du mit?«

»Spielt das eine Rolle? Ich könnte genauso gut meine alte Instamatic mitnehmen. Diese Milchbärte haben doch keine Ahnung. Was ist mit Andy Fleming? Kann ich den haben?«

»Keine Chance, Jim. Der begleitet gerade die königliche Tournee.«

»Was für eine königliche Tournee?«

Tom Jameson schien sich ein weiteres Mal von seinem Stuhl erheben zu wollen, etwas, das noch nie vorgekommen war.

Doch er setzte sich nur gerade, straffte seine Schultern und beäugte seinen »Star«-Polizeireporter misstrauisch.

»Du bist doch Journalist, Jim, oder? Ich meine, du bist nicht in vorzeitigen Ruhestand getreten oder zum Einsiedler geworden? Kein Fall von Altersschwachsinn in der Familie?«

»Hör mal, Tom, wenn jemand aus der königlichen Familie ein Verbrechen begeht, bin ich als Erster am Tatort. Aber ansonsten existieren die nicht für mich. Jedenfalls nicht außerhalb meiner Alpträume.«

Jameson sah demonstrativ auf seine Uhr.

»Okay, okay, ich geh ja schon.«

Mit diesen Worten drehte sich Stevens erstaunlich schnell auf seinem Absatz um und verließ das Büro, ohne auf die Rufe seines Bosses hinter ihm zu achten, der fragte, welchen der verfügbaren Fotografen er denn nun haben wollte.

Es würde keine Rolle spielen. Ihm war noch nie ein Polizist begegnet, der fotogen war. Doch während er das Gebäude verließ, fiel ihm ein, welcher Beamte in diesem speziellen Fall für die Presse zuständig war, und mit einem Grinsen änderte er seine Meinung.

»›Überall sind Hinweise für die, die zwischen den Zeiten lesen können.‹ Das ist doch kompletter Blödsinn, oder, John?«

Morton saß am Steuer. Sie fuhren Richtung Haymarket. Es war mal wieder so ein Tag, an dem es ständig regnete und windig war. Der Regen war fein und kalt, einer von der Sorte, der einem durch Mark und Bein ging. Den ganzen Tag war es so trübe gewesen, dass die Autofahrer schon am Mittag ihre Scheinwerfer anstellten. Ein wunderbarer Tag, um Außendienst zu machen.

»Da bin ich mir nicht so sicher, Jack. Der zweite Teil passt nahtlos an den ersten, als ob da eine logische Verbindung bestünde.«

»Wollen wir hoffen, dass er dir noch mehr Briefchen von der Sorte schickt. Vielleicht wird die Sache dann klarer.«

»Vielleicht. Mir wär allerdings lieber, er würde mit dem Scheiß ganz aufhören. Es ist nicht sehr angenehm zu wissen, dass ein Verrückter weiß, wo man arbeitet und wo man wohnt.«

»Steht deine Nummer im Telefonbuch?«

»Nein, ich hab eine Geheimnummer.«

»Damit scheidet das schon mal aus. Wie kommt er dann an deine Adresse?«

»Er *oder* sie«, sagte Rebus und steckte die Zettel wieder in die Tasche. »Woher soll ich das denn wissen?«

Er zündete zwei Zigaretten an und reichte eine Morton, nachdem er vorher den Filter abgebrochen hatte.

»Danke«, sagte Morton und steckte die kurze Zigarette in einen Mundwinkel. Der Regen ließ nach. »Sintflutartige Regenfälle in Glasgow«, sagte er, ohne eine Antwort zu erwarten.

Beide Männer hatten verquollene Augen von zu wenig Schlaf, aber der Fall hatte Besitz von ihnen ergriffen, also fuhren sie, noch leicht benommen, mitten in das düstere Zentrum der Ermittlungen. Auf dem unbebauten Grundstück hatte man nahe der Stelle, wo die Leiche des Mädchens gefunden worden war, einen Bürocontainer aufgestellt. Von dort sollten die Von-Haus-zu-Haus-Befragungen koordiniert werden. Freunde und Familienangehörige sollten ebenfalls befragt werden. Rebus fürchtete, dass der Tag ziemlich öde werden würde.

»Was mir Kopfzerbrechen macht«, hatte Morton gesagt, »ist folgendes: wenn die beiden Morde miteinander in Verbindung stehen, haben wir es mit jemandem zu tun, der vermutlich keins der beiden Mädchen kannte. Dann wird das eine Sauarbeit.«

Rebus hatte genickt. Allerdings bestand immer noch die Chance, dass entweder beide Mädchen ihren Mörder gekannt hatten oder dass der Mörder jemand in einer Vertrauensposition war. Denn sonst hätten sich die Mädchen, die fast zwölf

Jahre alt und nicht dumm waren, doch bestimmt gewehrt, als sie entführt wurden. Es hatte sich aber niemand gemeldet, der so etwas beobachtet hatte. Das war verdammt merkwürdig.

Es hatte aufgehört zu regnen, als sie das winzige Büro betraten. Der für die Außenermittlungen zuständige Inspector gab ihnen eine Liste mit Namen und Adressen. Rebus war froh, vom Polizeipräsidium fort zu sein, fort von Anderson und dessen Manie fürs Aktenstudium. *Hier* fand die eigentliche Arbeit statt, hier wurden Kontakte hergestellt, und hier konnte eine kleine Unachtsamkeit eines Verdächtigen den Fall in die eine oder andere Richtung lenken.

»Darf ich fragen, Sir, wer meinen Kollegen und mich für diese Aufgabe vorgeschlagen hat?«

Der Detective Inspector betrachtete Rebus eine Sekunde lang mit funkelnden Augen.

»Das dürfen Sie nicht, Rebus. Was spielt das denn für eine Rolle? In einem solchen Fall ist eine Aufgabe genauso wichtig und so notwendig wie jede andere. Das wollen wir doch mal nicht vergessen.«

»Ja, Sir«, sagte Rebus.

»Das muss ja ein bisschen so ein Gefühl sein, als arbeite man in einem Schuhkarton, Sir«, sagte Morton und sah sich in dem engen Raum um.

»Ja, mein Junge, ich mag zwar in einem Schuhkarton sitzen, aber ihr beide seid die Schuhe, also setzt euch verdammt noch mal in Bewegung.«

Dieser Inspector, dachte Rebus, während er seine Liste in die Tasche steckte, scheint ein netter Kerl zu sein. Seine scharfe Zunge war ganz nach Rebus' Geschmack.

»Keine Sorge, Sir«, sagte er jetzt, »das haben wir schnell.« Er hoffte, dass der Inspector die Ironie bemerkte.

»Den Letzten beißen die Hunde«, sagte Morton.

Sie gingen also wieder mal streng nach den Regeln vor, obwohl dieser Fall förmlich nach neuen Regeln schrie. Anderson schickte sie los, um nach den üblichen Verdächtigen zu suchen – Familienangehörige, Bekannte, Leute mit entsprechenden Vorstrafen. Im Präsidium würde man jetzt sicherlich die einschlägigen Pädophilenkreise unter die Lupe nehmen. Rebus hoffte, dass reichlich Anrufe von Spinnern hereinkämen, die Anderson alle durchgehen müsste. Denn die gab es fast immer; Anrufer, die das Verbrechen gestanden; Anrufer, die angeblich über übersinnliche Kräfte verfügten und helfen wollten, mit dem Verstorbenen in Kontakt zu treten; Anrufer, die einen ganz offenkundig auf eine falsche Fährte lenken wollten. Sie alle wurden von vergangener Schuld und gegenwärtigen Fantasien getrieben. Aber vielleicht traf das ja auf jeden zu.

Rebus hämmerte beim ersten Haus auf seiner Liste gegen die Tür und wartete. Eine übel riechende alte Frau öffnete. Sie war barfuß, und über ihren eingefallenen Schultern hing eine Strickjacke, die zu neunzig Prozent aus Löchern und zu zehn Prozent aus Wolle bestand.

»Was is?«

»Polizei, Madam. Es geht um den Mord.«

»Äh? Egal, was es is, ich will's nich. Verschwindense, bevor ich die Bullen hol.«

»Die Morde«, brüllte Rebus. »Ich bin von der Polizei. Ich möchte Ihnen ein paar Fragen stellen.«

»Äh?« Sie trat ein Stückchen zurück, um ihn genau zu beäugen, und Rebus hätte schwören können, dass er einen Hauch von einstiger Intelligenz in dem dumpfen Schwarz ihrer Pupillen aufflackern sah.

»Was für Morde?«, sagte sie.

Mal wieder einer dieser Tage. Zu allem Überfluss fing es schon wieder an zu regnen. Dicke Tropfen klatschten ihm gegen Hals und Gesicht, Wasser lief in seine Schuhe. Genau wie an jenem Tag am Grab des alten Herrn ... Erst gestern? In vierundzwanzig Stunden konnte viel passieren, und das alles ihm. Gegen sieben Uhr konnte Rebus sechs von den vierzehn

Personen auf seiner Liste abhaken. Er ging zu dem Schuhkarton zurück. Seine Füße waren wund, sein Magen voller Tee, und er sehnte sich nach etwas Stärkerem.

Auf dem schlammigen Gelände stand Jack Morton und starrte auf den lehmigen Boden, der mit Ziegeln und Geröll übersät war – ein himmlischer Spielplatz für ein Kind.

»Was für ein höllischer Platz zum Sterben.«

»Sie ist hier nicht gestorben, Jack. Das hat man doch bei der Obduktion festgestellt.«

»Du weißt schon, was ich meine.«

Ja, Rebus wusste, was er meinte.

»Übrigens«, sagte Morton, »du warst der Letzte.«

»Darauf trinken wir einen«, sagte Rebus.

Sie tranken in einer der heruntergekommenen Kneipen Edinburghs. Kneipen, wie sie Touristen nie zu sehen kriegen. Eigentlich wollten sie nicht über den Fall nachdenken, aber es gelang ihnen nicht. So war das bei Ermittlungen in einem Mordfall; die packten einen mit Haut und Haaren, fraßen einen auf und brachten einen dazu, immer härter zu arbeiten. Jeder Mord löste einen Ausstoß reinsten Adrenalins aus. Das trieb sie bis an den Punkt, von dem es kein Zurück gab.

»Ich sollte jetzt wohl lieber nach Hause gehen«, sagte Rebus.

»Nein, trink noch eins.«

Mit dem leeren Glas in der Hand ging Jack Morton in Schlangenlinien zur Bar.

Rebus dachte mit benebeltem Hirn erneut über seinen geheimnisvollen Briefschreiber nach. Er hatte Rhona im Verdacht, obwohl das eigentlich nicht ihr Stil war. Seine Tochter Sammy konnte ebenfalls dahinter stecken, vielleicht als verspätete Rache dafür, dass ihr Vater sie aus seinem Leben verbannt hatte. Familienangehörige und Bekannte waren, zumindest zu Anfang, immer die Hauptverdächtigen. Aber es konnte irgendwer sein, jeder, der wusste, wo er wohnte und wo er arbeitete. Einer von seinen Kollegen war auch eine Möglichkeit, mit der man stets rechnen musste.

Die Zehntausend-Dollar-Frage lautete – wie immer –, warum.

»Bitte sehr, zwei wunderschöne Pints, *gratis* aufs Haus.«

»Das nenne ich sehr sozial«, sagte Rebus.

»Oder sehr clever, was, John?« Morton kicherte über seinen eigenen Scherz und wischte sich den Schaum von der Oberlippe. Dann bemerkte er, dass Rebus nicht lachte. »Woran denkst du?«, sagte er.

»Ein Serienmörder«, sagte Rebus. »Es muss so sein. Ich denke, wir werden noch weitere Beispiele für das Talent unseres Freundes zu sehen kriegen.«

Morton setzte sein Glas ab. Plötzlich war er nicht mehr sonderlich durstig.

»Diese Mädchen sind auf unterschiedliche Schulen gegangen«, fuhr Rebus fort, »haben in unterschiedlichen Stadtteilen gewohnt, hatten einen unterschiedlichen Geschmack, unterschiedliche Freunde, gehörten unterschiedlichen Religionen an und wurden von demselben Mörder auf dieselbe Weise und ohne erkennbaren sexuellen Missbrauch umgebracht. Wir haben es mit einem Wahnsinnigen zu tun. Er könnte überall sein.«

An der Bar brach ein Streit aus, offenbar wegen einer Partie Domino, bei der irgendwas nicht mit rechten Dingen zugegangen war. Ein Glas fiel auf den Boden, und in der Kneipe wurde es ganz still. Dann schien sich alles wieder ein bisschen zu beruhigen. Ein Mann wurde von Freunden, die bei dem Streit auf seiner Seite gewesen waren, nach draußen geführt. Ein anderer blieb zusammengesunken an der Theke stehen und redete leise auf eine Frau ein, die neben ihm stand.

Morton trank einen großen Schluck Bier.

»Wie gut, dass wir nicht im Dienst sind«, sagte er. Dann: »Hast du Lust auf ein Curry?«

Morton aß den letzten Bissen von seinem Hühnchen Vindaloo und warf die Gabel auf den Teller.

»Ich glaube, ich muss mal ein Wörtchen mit dem Gesundheitsamt reden«, sagte er mit vollem Mund. »Oder mit dem Gewerbeaufsichtsamt. Was immer das war, Hühnchen war's jedenfalls nicht.«

Sie waren in einem kleinen indischen Restaurant in der Nähe des Bahnhofs Haymarket. Violette Beleuchtung, rote Velourstapete und penetrante Sitar-Musik.

»Es schien dir aber zu schmecken«, sagte Rebus und trank sein Bier aus.

»Natürlich hat's mir geschmeckt, aber es war kein Hühnchen.«

»Wenn 's dir geschmeckt hat, gibt es keinen Grund, sich zu beschweren.« Rebus saß seitwärts auf seinem Stuhl, die Beine weit ausgestreckt, einen Arm über die Rückenlehne gelehnt, und rauchte seine x-te Zigarette an diesem Tag.

Morton beugte sich unsicher zu seinem Gegenüber.

»John, es gibt *immer* etwas, worüber man sich beschweren kann, besonders wenn man eine Chance sieht, dann die Rechnung nicht bezahlen zu müssen.«

Er zwinkerte Rebus zu, lehnte sich zurück, rülpste und griff in die Tasche nach einer Zigarette.

»Unsinn«, sagte er.

Rebus versuchte nachzuzählen, wie viele Zigaretten er an diesem Tag bereits geraucht hatte, aber sein Gehirn sagte ihm, dass solche Berechnungen müßig wären.

»Ich frage mich, was unser Freund, der Mörder, im Augenblick gerade macht«, sagte er.

»Ein Curry essen?«, schlug Morton vor. »Das Problem ist, John, das könnte so ein ganz durchschnittlicher Normalbürger sein, nach außen hin sauber, verheiratet, Kinder, ein spießiger, strebsamer Typ, aber in Wirklichkeit ist er schlicht und einfach ein Verrückter.«

»An unserem Mann ist gar nichts schlicht und einfach.«

»Das stimmt.«

»Aber du könntest durchaus Recht haben. Du meinst doch, dass er so eine Art Jekyll und Hyde ist, oder?«

»Genau.« Morton schnipste Asche auf die Tischplatte, die bereits mit Currysauce und Bier bekleckert war. Dabei starrte er auf seinen leeren Teller, als ob er sich fragte, wo denn das ganze Essen geblieben sei. »Jekyll und Hyde. Du hast den Nagel auf den Kopf getroffen. Ich sag dir was, John, ich würde solche Dreckskerle für tausend Jahre einsperren, tausend Jahre Einzelhaft in einer Zelle, so groß wie ein Schuhkarton. Genau das würd ich tun.«

Rebus starrte auf die Velourstapete. Er dachte an seine Tage in Einzelhaft zurück, als der SAS versuchte, ihn kleinzukriegen, Tage, an denen er bis zum Äußersten auf die Probe gestellt worden war, Tage voller Seufzer und Schweigen, voller Hunger und Schmutz. Nein, das würde er nicht noch einmal durchmachen wollen. Und dennoch hatten sie ihn nicht kleingekriegt, nicht wirklich kleingekriegt. Die anderen hatten nicht soviel Glück gehabt.

Eingesperrt in einer Zelle schrie das Gesicht.

Lasst mich raus Lasst mich raus

Lasst mich raus ...

»John? Ist alles in Ordnung? Falls du dich übergeben musst, die Toilette ist hinter der Küche. Hör mal, wenn du da vorbeigehst, tu mir doch den Gefallen und guck mal, ob du erkennen kannst, was die da zerhacken und in den Topf werfen ...«

Gewitzt wie er war, ging Rebus mit dem übervorsichtigen Gang eines Sturzbetrunkenen zur Toilette, doch er fühlte sich gar nicht betrunken, jedenfalls nicht *so* betrunken. Der Geruch von Curry, Desinfektionsmittel und Scheiße drang ihm in die Nase. Er wusch sich das Gesicht. Nein, er würde sich nicht übergeben. Es lag nicht am vielen Trinken, denn bei Michael hatte er den gleichen Schauder gespürt, das gleiche momentane Grauen. Was geschah mit ihm? Es war, als ob sein

Inneres sich verhärtete, ihn langsamer werden ließ, bis die Jahre ihn schließlich einholten. Es fühlte sich ein bisschen so an wie der Nervenzusammenbruch, auf den er schon die ganze Zeit wartete, aber es war kein Nervenzusammenbruch. Es war nichts. Es war vorbei.

»Kann ich dich mitnehmen, John?«

»Nein, danke, ich geh zu Fuß. Da krieg ich wieder einen klaren Kopf.«

Sie trennten sich vor der Tür des Restaurants. Eine Gruppe von Leuten, offenbar Arbeitskollegen – gelockerte Krawatten und starkes, unangenehm süßes Parfüm –, war auf dem Weg zum Bahnhof Haymarket. Haymarket war die letzte Station auf dem Weg in die Innenstadt von Edinburgh vor dem viel größeren Bahnhof Waverley. Rebus musste an die gängige Redensart »in Haymarket aussteigen« denken, die für das vorzeitige Herausziehen des Penis beim Geschlechtsverkehr benutzt wurde. Da sollte noch mal einer sagen, die Edinburgher wären humorlos. Ein Lächeln, ein Lied und eine Strangulierung. Rebus wischte sich den Schweiß von der Stirn. Er fühlte sich immer noch schwach und hielt sich an einem Laternenpfahl fest. Er wusste so ungefähr, was es war. Sein ganzes Inneres lehnte sich gegen die Vergangenheit auf, so als ob die lebenswichtigen Organe ein Spenderherz abstoßen würden. Er hatte den Horror der militärischen Ausbildung so weit verdrängt, dass heutzutage sein Organismus selbst das leiseste Echo davon aufs heftigste bekämpfte. Und doch hatte er in jener extremen Situation Freundschaft gefunden, Brüderlichkeit, Kameradschaft, wie immer man es nennen mochte. Und er hatte mehr über sich gelernt, als menschliche Wesen das normalerweise tun. Er hatte so viel gelernt.

Seinen Geist hatte man nicht brechen können. Er hatte die Ausbildung glanzvoll bestanden. Doch dann war der Nervenzusammenbruch gekommen.

Genug. Er setzte sich in Bewegung und richtete sich an dem Gedanken auf, dass er morgen frei hatte. Er würde den Tag mit Lesen und Schlafen verbringen und sich dann für die Party zurechtmachen, für die Party von Cathy Jackson.

Und der Tag darauf, der Sonntag, würde einer der seltenen Tage sein, die er mit seiner Tochter verbrachte. Dann würde er vielleicht herausfinden, wer hinter den Spinnerbriefen steckte.

VIII

Das Mädchen wachte mit einem trockenen, salzigen Geschmack im Mund auf. Sie fühlte sich schläfrig und benommen und fragte sich, wo sie war. Sie war in seinem Auto eingeschlafen. Davor war sie überhaupt nicht müde gewesen, bis er ihr den Riegel Schokolade gegeben hatte. Jetzt war sie wach, aber nicht zu Hause in ihrem Zimmer. In diesem Zimmer hier hingen Bilder an der Wand, Bilder, die aus Zeitschriften ausgeschnitten waren. Einige waren Fotos von Soldaten mit grimmigen Gesichtern, andere von Mädchen und Frauen. Eine Gruppe von Polaroid-Aufnahmen sah sie sich besonders genau an. Darunter war auch ein Foto von ihr, wie sie in diesem Bett schlief, die Arme weit ausgebreitet. Sie öffnete den Mund und stöhnte leise auf.

Im Wohnzimmer hörte er, wie sie sich bewegte, während er die Garrotte vorbereitete.

In jener Nacht hatte Rebus mal wieder einen seiner Alpträume. Auf einen lang anhaltenden Kuss folgte eine Ejakulation, sowohl im Traum als auch in der Realität. Er wachte darüber sofort auf und säuberte sich. Der Hauch des Kusses war immer noch um ihn, klebte an ihm wie eine Aura. Er schüttelte den Kopf, um sich davon zu befreien. Er brauchte unbedingt eine Frau. Als er sich an die bevorstehende Party erinnerte, entspannte er sich ein wenig. Doch seine Lippen waren trocken. Er tapste in die Küche, wo er eine Flasche Limonade fand. Sie war zwar abgestanden, aber sie erfüllte ihren Zweck. Dann stellte er fest, dass er immer noch betrunken war und einen Kater kriegen würde, wenn er nicht vorsorgte. Er goß sich drei Gläser Wasser ein und zwang sie hinunter.

Erfreut bemerkte er, dass die Zündflamme noch brannte. Das war ein gutes Zeichen. Nachdem er wieder ins Bett gekrochen war, dachte er sogar noch daran, seine Gebete zu sprechen. Das würde den Großen Mann da oben überraschen. Er würde es sich in seinem goldenen Buch notieren – Rebus hat heute Nacht an mich gedacht. Vielleicht würde er ihm dafür morgen einen schönen Tag schenken.

Amen.

IX

Michael Rebus liebte seinen BMW genauso sehr, wie er das Leben liebte, vielleicht sogar noch ein bisschen mehr. Während er über die Autobahn raste und der Verkehr zu seiner Linken sich kaum zu bewegen schien, hatte er das Gefühl, dass sein Auto auf seltsame und befriedigende Weise das Leben *war*. Die Motorhaube in den hellen Horizont gerichtet jagte er der Zukunft entgegen, immer mit Vollgas und ohne auf irgendwas oder irgendwen Rücksicht zu nehmen.

So gefiel es ihm, solider, schneller Luxus auf Knopfdruck. Er trommelte mit den Fingern auf dem Lederlenkrad, spielte an dem Radiorecorder herum und legte den Kopf behaglich gegen die gepolsterte Kopfstütze. Oft träumte er davon, einfach abzuhauen, Frau und Kinder und das Haus zurückzulassen, nur das Auto und er. Auf jenen fernen Punkt zuzurasen, niemals anzuhalten, außer um zu essen und aufzutanken, immer weiter zu fahren, bis er starb. Das schien ihm das Paradies zu sein, und es war völlig ungefährlich, sich diesen Fantasien hinzugeben, denn er wusste, er würde es niemals wagen, das Paradies in die Praxis umzusetzen.

Als er sein erstes Auto besaß, war er manchmal mitten in der Nacht aufgewacht und hatte die Vorhänge geöffnet, um zu sehen, ob es noch draußen auf ihn wartete. Manchmal war er um vier oder fünf Uhr morgens aufgestanden, um ein paar Stunden durch die Gegend zu fahren, und war erstaunt, welche Entfernungen er in so kurzer Zeit zurücklegen konnte. Er fühlte sich wohl auf den stillen Straßen, nur mit Kaninchen und Krähen als Gesellschaft, die Hand auf der Hupe, deren Lärm ganze Vogelschwärme aufscheuchte und erschrocken davonflattern ließ. Diese innige Beziehung zu Autos hatte er nie verloren, diesen Quell seiner Träume.

Heutzutage starrten die Leute sein Auto an. Manchmal parkte er es irgendwo auf der Straße in Kirkcaldy und postierte sich in der Nähe, um zu beobachten, wie die Leute ihn um dieses Auto beneideten. Die jüngeren Männer, voller Wagemut und Zuversicht, pflegten hineinzuschauen, starrten auf das Leder und die Instrumente, als ob sie exotische Tiere im Zoo betrachteten. Die älteren Männer, manche mit Ehefrau im Schlepptau, warfen nur einen kurzen Blick auf den Wagen. Manchmal spuckten sie hinterher auf die Straße, weil sie wussten, dass dieses Auto all das repräsentierte, was sie selbst gewollt, aber nicht erreicht hatten. Michael Rebus hatte seinen Traum verwirklicht, und es war ein Traum, den er sich anschauen konnte, wann immer er wollte.

In Edinburgh kam es allerdings ganz darauf an, wo man parkte, damit ein Auto Aufmerksamkeit erregen würde. Er hatte mal auf der George Street geparkt, und im selben Augenblick kam ein Rolls-Royce angerauscht und stellte sich hinter ihn. Wutschnaubend hatte er den Wagen wieder angelassen und war weitergefahren. Schließlich hatte er dann vor einer Diskothek geparkt. Er wusste, wenn man einen teuren Wagen vor einem Restaurant oder einer Diskothek abstellte, würden manche Leute einen für den Besitzer dieses Etablissements halten, eine Vorstellung, die ihm ungeheuer behagte. Das hatte sofort die Erinnerung an den Rolls-Royce ausgelöscht und ihn mit neuen Versionen des Traumes erfüllt.

An Ampeln anzuhalten konnte ebenfalls aufregend sein, außer wenn gerade irgend so ein dämlicher Motorradfahrer auf einer großen Maschine röhrend hinter ihm stehen blieb, oder – noch schlimmer – neben ihm. Einige dieser Motorräder waren auf Beschleunigung getrimmt. Mehr als einmal war er beim Losspurten an einer Ampel gnadenlos geschlagen worden. Auch daran erinnerte er sich nicht gern.

Heute parkte er da, wo man ihm gesagt hatte, er solle parken, nämlich auf dem Parkplatz oben auf dem Calton Hill. Durch die Windschutzscheibe konnte er hinüber nach Fife sehen, und durch die Heckscheibe sah er die Princes Street wie eine Spielzeugkulisse daliegen. Auf dem Hügel war es ruhig. Die Touristensaison hatte noch nicht richtig begonnen, und es war kalt. Er wusste, dass es hier nachts heiß herging. Verfolgungsjagden mit dem Auto, junge Frauen und Männer, die auf Kundschaft hofften, Partys am Strand von Queensferry. Edinburghs schwule Gemeinde mischte sich unter diejenigen, die nur neugierig oder einsam waren, und ab und zu sah man ein Pärchen Hand in Hand auf dem Friedhof unten am Hügel verschwinden. Wenn es dunkel wurde, wurde das östliche Ende der Princes Street ein Territorium mit ganz eigenen Regeln, wo so richtig die Post abging und alles geteilt wurde. Aber er hatte nicht vor, sein Auto mit irgendwem zu teilen. Sein Traum war ein verletzliches Wesen.

Er schaute über den Firth of Forth nach Fife hinüber, das aus der Ferne ziemlich eindrucksvoll aussah, bis das Auto des Mannes sich langsam näherte und neben ihm hielt. Michael rutschte auf den Beifahrersitz und ließ das Fenster herunter, während der Mann gleichzeitig seins herunterkurbelte.

»Hast du den Stoff?«, sagte er.

»Natürlich«, sagte der Mann und sah in seinen Rückspiegel. Einige Leute, ausgerechnet eine Familie, kamen gerade über die Kuppe. »Wir sollten lieber einen Moment warten.«

Sie starrten mit ausdruckslosen Gesichtern in die Gegend.

»Gibt es irgendwelche Probleme drüben in Fife?«, fragte der Mann.

»Nein.«

»Es wird erzählt, dass dein Bruder dich besucht hat. Stimmt das?« Die Augen des Mannes waren hart. Alles an ihm war hart. Doch das Auto, das er fuhr, war eine Klapperkiste. Michael fühlte sich vorläufig sicher.

»Ja, aber das hatte nichts zu bedeuten. Es war bloß der Todestag unseres Vaters. Weiter nichts.«

»Er weiß also nichts?«

»Absolut nichts. Hältst du mich für blöd oder was?«

Ein Blick des Mannes brachte Michael zum Schweigen. Es war ihm ein Rätsel, wie dieser Mann ihm solche Angst einflößen konnte. Er hasste diese Treffen.

»Wenn irgendwas passiert«, sagte der Mann gerade, »wenn *irgendetwas* schief geht, bist du dran. Das ist mein Ernst. Halt dich in Zukunft von dem Dreckskerl fern.«

»Es war doch nicht meine Schuld. Er schneite einfach bei mir herein. Hat noch nicht mal vorher angerufen. Was sollte ich denn tun?«

Seine Hände hielten das Lenkrad so fest umklammert, als wären sie dort festgeklebt. Der Mann warf noch einmal einen prüfenden Blick in den Rückspiegel.

»Die Luft ist rein«, sagte er und griff hinter sich. Ein kleines Päckchen glitt durch Michaels Fenster. Er warf einen Blick hinein, nahm einen Umschlag aus der Tasche und griff nach dem Zündschlüssel.

»Man sieht sich, Mister Rebus«, sagte der Mann, während er den Umschlag öffnete.

»Ja«, sagte Michael und dachte, nicht, wenn ich es irgendwie vermeiden kann. Diese Arbeit wurde allmählich ein bisschen zu heikel für ihn. Diese Leute schienen über alles, was ihn betraf, genauestens informiert zu sein. Er wusste jedoch, dass die Angst sich immer wieder in Luft auflöste und Euphorie an ihre Stelle trat, wenn er eine weitere Ladung abgesetzt und einen hübschen Profit bei dem Deal eingestrichen hatte. Wegen dieses Moments, wenn sich die Angst in Euphorie verwandelte, machte er das Spiel immer weiter mit. Das war besser als der schnellste Kavaliersstart, den man je an einer Ampel hinlegen konnte.

Jim Stevens, der oben von dem Edinburgh Folly aus das Ganze beobachtete, einer lächerlichen Kopie eines griechischen Tempels aus dem viktorianischen Zeitalter, die nie vollendet wurde, sah Michael Rebus wegfahren. Der Ablauf war soweit nichts Neues für ihn. Was ihn jedoch brennend interessierte, war dieser Kontakt hier in Edinburgh, ein Mann, den er nicht einordnen konnte, der ihm schon zweimal entwischt war und der ihm zweifellos auch diesmal wieder entwischen würde. Niemand schien zu wissen, wer diese mysteriöse Person war, und es wollte auch niemand so genau wissen. Es sah nach Ärger aus. Stevens, der sich plötzlich hilflos und alt fühlte, konnte nichts weiter tun, als sich die Autonummer zu notieren. Vielleicht konnte ja McGregor Campbell etwas damit anfangen, aber er musste vorsichtig sein, damit Rebus ihm nicht auf die Schliche kam. Er schien da in einer Sache zu stecken, die sich als viel verwickelter erwies, als er erwartet hatte.

Zitternd versuchte er sich einzureden, dass gerade das ihn so anmachte.

X

»Kommen Sie rein, wer immer Sie auch sind.«

Leute, die Rebus völlig fremd waren, nahmen ihm Mantel, Handschuhe und die mitgebrachte Flasche Wein ab, und sofort steckte er mitten in einer dieser überfüllten, verräucherten und lauten Partys, bei denen es zwar einfach ist, Leute anzulächeln, aber fast unmöglich, jemanden kennen zu lernen. Er ging vom Flur in die Küche und von dort durch eine Verbindungstür ins Wohnzimmer.

Sessel, Tisch und Sofa waren an die Wände geschoben worden, und die freie Fläche war gefüllt mit sich verrenkenden und kreischenden Paaren, die Männer ohne Krawatte und in Hemden, die ihnen am Körper klebten.

Die Party hatte anscheinend früher begonnen, als er erwartet hatte.

Ein paar der Gesichter um sich herum und unter ihm kannte er. Während er sich einen Weg durch das Wohnzimmer bahnte, musste er über zwei Inspektoren steigen. Er sah, dass auf dem Tisch am anderen Ende des Raums reichlich Flaschen und Plastikbecher standen. Das schien ihm ein ganz günstiger und halbwegs sicherer Beobachtungsposten zu sein.

Dorthin zu gelangen war allerdings ein Problem, und er musste an die Sturmangriffsübungen bei der Armee denken.

»Hi!«

Cathy Jackson, die eine passable Stoffpuppe abgegeben hätte, torkelte ihm kurz über den Weg, bevor sie von dem großen – dem sehr großen – Mann, mit dem sie so etwas Ähnliches tat wie tanzen, herumgerissen wurde.

Rebus brachte irgendwie ein »Hallo« hervor. Sein Gesichtsausdruck glich dabei eher einer Grimasse als einem Lächeln. Er brachte sich an dem Getränketisch so einigermaßen in Sicherheit und nahm sich einen Whisky und dazu ein Bier. Das würde für den Anfang reichen. Dann beobachtete er, wie Cathy Jackson, für die er sich gebadet, rasiert, in Schale geschmissen und mit einem Duftwässerchen eingesprüht hatte, ihre Zunge tief in den Mund ihres Tanzpartners schob. Rebus glaubte, dass ihm gleich schlecht würde. Seine Partnerin für den Abend hatte ihn versetzt, bevor der Abend noch richtig begonnen hatte! Das würde seinen Optimismus für die Zukunft ein wenig dämpfen. Und was sollte er jetzt machen? Unauffällig verschwinden oder versuchen, ein paar freundliche Worte aus dem Hut zu zaubern?

Ein stämmiger Mann, der überhaupt nicht wie ein Polizist aussah, kam aus der Küche und steuerte mit zwei leeren Gläsern in der Hand und Zigarette im Mund auf den Getränketisch zu.

»Verdammt noch mal«, sagte er an niemand Bestimmten gerichtet, »ist ja 'ne ziemlich beschissene Party, finden Sie nicht? Entschuldigen Sie meine Ausdrucksweise.«

»Ja, ist alles nicht so toll.«

Rebus dachte bei sich, jetzt hab ich 's geschafft, ich hab mit jemandem geredet. Das Eis ist gebrochen, also könnte ich mich jetzt ohne weiteres absetzen.

Doch er blieb. Er beobachtete, wie der Mann sich recht gekonnt durch die Tanzenden schlängelte, die Drinks sicher in der Hand, wie schutzbedürftige kleine Tiere. Er beobachtete, wie die Tänzer ihren Kriegstanz wieder aufnahmen, als eine weitere Platte aus der unsichtbaren Stereoanlage zu dröhnen begann und eine Frau, die genauso unbehaglich wirkte wie er, sich durch den Raum zwängte und auf Rebus und den Getränketisch zusteuerte.

Sie war etwa in seinem Alter, und die Zeit hatte durchaus ihre Spuren hinterlassen. Sie trug ein für seine Begriffe halbwegs modisches Kleid, doch was hatte er schon mit Mode am Hut? In seinem Anzug sah er in dieser Gesellschaft direkt wie einer Beerdigung entsprungen aus. Ihre Haare waren erst kürzlich gestylt worden, vielleicht sogar an diesem Nachmittag. Sie trug eine sekretärinnenhafte Brille, aber sie war keine Sekretärin. Das konnte Rebus bereits an der Art und Weise erkennen, wie sie sich den Weg zu ihm bahnte.

Er hielt ihr eine frisch gemixte Bloody Mary entgegen.

»Ist das okay?«, brüllte er. »Hab ich richtig oder falsch geraten?«

Sie kippte den Cocktail dankbar in sich hinein und holte erst Luft, als er das Glas erneut füllte.

»Danke«, sagte sie. »Normalerweise trinke ich keinen Alkohol, aber das war jetzt genau das Richtige.«

Na großartig, dachte Rebus bei sich, ohne dass seine Augen aufhörten zu lächeln. Cathy Jackson hat sich um Verstand und Moral gesoffen, und ich bin bei einer Antialkoholikerin gelandet. Doch dieser Gedanke war seiner unwürdig und wurde auch seiner Gesprächspartnerin nicht gerecht. Zerknirscht sandte er ein paar stumme entschuldigende Worte nach oben.

»Haben Sie Lust zu tanzen?«, fragte er, um für seine Sünden zu büßen.

»Du machst wohl Witze!«

»Mach ich nicht. Was ist denn los?«

Rebus, der wegen seines Anflugs von Chauvinismus ein schlechtes Gewissen hatte, konnte es nicht fassen. Sie war ein Detective Inspector. Dazu noch die in dem Mordfall für die Presse zuständige Beamtin.

»Ach nichts«, sagte er, »es ist nur so, dass ich auch an dem Fall arbeite.«

»Weißt du, John, wenn das so weitergeht, wird bald jeder Polizist und jede Polizistin in Schottland an dem Fall arbeiten. Das kannst du mir glauben.«

»Wie meinst du das?«

»Es hat eine weitere Entführung gegeben. Die Mutter des Mädchens hat das Kind heute Abend als vermisst gemeldet.«

»Scheiße. Verzeihung.«

Sie hatten miteinander getanzt, getrunken, sich getrennt, sich wieder getroffen und taten nun, als wären sie bereits alte Freunde, zumindest an diesem Abend. Sie standen im Flur, ein Stück von dem Lärm und dem Chaos auf der Tanzfläche entfernt. In der Schlange vor der einzigen Toilette der Wohnung, am anderen Ende des Flurs, wurden die Leute allmählich ungehalten.

Rebus merkte, wie er durch Gill Templers Brille, durch das ganze Glas und Plastik hindurch in ihre smaragdgrünen Augen starrte. Er wollte ihr sagen, er hätte noch nie so schöne Augen wie ihre gesehen, aber er befürchtete, dass ihm das als Klischee angekreidet würde. Sie hielt sich jetzt an Orangensaft, er hatte sich hingegen mit einigen weiteren Whiskys in eine lockere Stimmung gebracht, da er nichts Besonderes mehr von dem Abend erwartete.

»Hallo, Gill.«

Der stämmige Mann vor ihnen war der Typ, mit dem Rebus sich am Getränketisch unterhalten hatte.

»Lange nicht gesehen.«

Der Mann versuchte, Gill Templer auf die Wange zu küssen, torkelte aber stattdessen an ihr vorbei und stieß mit dem Kopf gegen die Wand.

»Bisschen viel getrunken, Jim?«, sagte Gill ganz sachlich.

Der Mann zuckte die Schultern und sah Rebus an.

»Wir haben alle unser Kreuz zu tragen, was?«

Eine Hand streckte sich Rebus entgegen.

»Jim Stevens«, sagte der Mann.

»Ah, der Reporter?«

Rebus drückte kurz die warme, feuchte Hand des Mannes.

»Das ist Detective Sergeant John Rebus«, sagte Gill.

Rebus bemerkte, dass Stevens kurz rot wurde und seine Augen etwas Gehetztes annahmen. Aber er hatte sich schnell wieder im Griff.

»Freut mich, Sie kennen zu lernen«, sagte er. Dann sagte er mit einer ruckartigen Kopfbewegung: »Gill und ich kennen uns sehr gut, nicht wahr, Gill?«

»Nicht so gut, wie du zu glauben scheinst, Jim.«

Er lachte und sah dann kurz zu Rebus.

»Sie ist bloß schüchtern«, sagte er. »Schon wieder ein Mädchen ermordet worden, hab ich gehört.«

»Jim hat überall seine Spione.«

Stevens tippte gegen seine knallrote Nase und grinste Rebus an.

»Überall«, sagte er, »und ich komm auch überall rum.«

»Ja, ganz schön umtriebig, unser Jim«, sagte Gill. Ihre Stimme klang beißend scharf, und ihre Augen wirkten plötzlich völlig unnahbar hinter all dem Glas und Plastik.

»Morgen schon wieder ’ne Presseerklärung, Gill?«, sagte Stevens, während er in seinen Taschen nach den Zigaretten suchte, die er längst verloren hatte.

»Ja.«

Die Hand des Reporters landete auf Rebus’ Schulter.

»Alte Freunde, Gill und ich.«

Dann verabschiedete er sich mit einem lässigen Winken, ohne auf eine Reaktion darauf zu warten, und zog sich langsam zurück, während er weiter in den Taschen nach seinen Zigaretten wühlte und Rebus’ Gesicht in Gedanken abspeicherte.

Gill Templer lehnte sich seufzend gegen die Wand, an der Stevens’ missglückter Kuss gelandet war.

»Einer der besten Reporter Schottlands«, stellte sie ganz sachlich fest.

»Und du musst dich in deinem Job mit solchen Typen auseinander setzen?«

»Er ist gar nicht so übel.«

Im Wohnzimmer schien ein Streit auszubrechen.

»Also«, sagte Rebus und strahlte übers ganze Gesicht, »sollen wir jetzt die Polizei rufen oder möchtest du lieber mit mir in ein kleines Restaurant gehen, das ich ganz gut kenne?«

»Soll das eine Anmache sein?«

»Vielleicht. Das musst du selber rausfinden. Du bist ja schließlich Detective.«

»Na schön, was auch immer das sein soll, Detective Sergeant Rebus, Sie haben Glück. Ich bin nämlich kurz vorm Verhungern. Ich hole meinen Mantel.«

Rebus war sehr zufrieden mit sich. Dann fiel ihm ein, dass irgendwo auch sein Mantel herumlag. Er fand ihn in einem der beiden Schlafzimmer mit seinen Handschuhen und – welch angenehme Überraschung – der noch nicht geöffneten Flasche

Wein. Er nahm es als göttliches Zeichen, dass er die Flasche im Laufe des Abends noch brauchen würde, und steckte sie ein.

Gill war in dem anderen Schlafzimmer und wühlte in einem Berg Mäntel auf dem Bett. Unter der Bettdecke schien man heftig beim Geschlechtsverkehr zu sein, und der ganze Wust von Mänteln und Bettzeug schwankte und bebte wie eine gigantische Amöbe. Kichernd fand Gill schließlich ihren Mantel und kam auf Rebus zu, der sie verschwörerisch aus dem Türrahmen anlächelte.

»Wiedersehen, Cathy«, rief sie in das Zimmer zurück, »danke für die Party.«

Unter dem Bettzeug kam, vielleicht als Erwiderung, ein erstickter Schrei hervor. Rebus, der mit aufgerissenen Augen dastand, spürte, wie seine ganze Charakterstärke wie ein trockenes Stück Käsegebäck zerbröckelte.

Im Taxi saßen sie ein kleines Stück voneinander entfernt.

»Du und dieser Stevens, ihr seid also alte Freunde?«

»Das bildet der sich ein.« Sie starrte an dem Fahrer vorbei auf die vom Regen glatte Straße vor ihnen. »Jims Gedächtnis kann auch nicht mehr das sein, was es früher einmal war. Ganz im Ernst, wir sind einmal miteinander ausgegangen, wirklich nur ein einziges Mal.« Sie hielt einen Finger hoch. »An einem Freitagabend, glaube ich. Zweifellos ein großer Fehler.«

Rebus war mit dieser Antwort zufrieden. Allmählich bekam er wieder Hunger.

Doch als sie bei dem Restaurant ankamen, hatte es bereits geschlossen – selbst für Rebus –, also blieben sie im Taxi und Rebus lotste den Fahrer zu seiner Wohnung.

»Ich mache ganz gute Speck-Sandwiches«, sagte er.

»Wie schade«, sagte sie. »Ich bin Vegetarierin.«

»Großer Gott, du isst also überhaupt kein Gemüse?«

»Warum müssen Fleischfresser immer Witze darüber machen?«, sagte sie mit schneidender Stimme. »Das ist wie mit Männern und der Frauenbewegung. Wie kommt das nur?«

»Weil wir Angst davor haben«, sagte Rebus, mittlerweile wieder halbwegs nüchtern.

Gill sah ihn an, doch er beobachtete gerade aus dem Fenster, wie die betrunkenen Nachtschwärmer die mit Stolperfallen übersäte Lothian Road entlangtorkelten, auf der Suche nach Alkohol, Frauen und Glück. Für einige von ihnen war es eine nie endende Suche. Schwankend machten sie ihre Rundgänge durch Clubs und Pubs und Imbissstuben und knabberten an den Knochen, die ihnen das Leben so hinwarf. Die Lothian Road war Edinburghs Müllhalde. Allerdings lagen hier auch das Sheraton Hotel und Usher Hall. Rebus war ein einziges Mal in der Usher Hall gewesen, wo er sich mit Rhona und all den anderen blasierten Seelen Mozarts Requiem angehört hatte. Das war typisch für Edinburgh, ein Krümel Kultur inmitten von Fast-Food-Läden. Ein Requiem und eine Tüte Fritten.

»Wie läuft's denn zurzeit so mit der Pressearbeit?«

Sie saßen in seinem hastig aufgeräumten Wohnzimmer. Sein ganzer Stolz, ein Nakamichi-Tapedeck, spielte dezent eine der Jazz-Kassetten aus seiner Sammlung von Hintergrundmusik für späte Stunden – Stan Getz oder Coleman Hawkins.

Er hatte ein paar Sandwiches mit Thunfisch und Tomate zusammengebastelt, nachdem Gill zugegeben hatte, dass sie gelegentlich Fisch aß. Die Flasche Wein war geöffnet, und er hatte eine Kanne mit frisch gemahlenem Kaffee aufgebrüht, ein Luxus, den er sich normalerweise nur sonntags zum Frühstück erlaubte. Jetzt saß er seinem Gast gegenüber und sah zu, wie sie aß. Leicht erschrocken dachte er, dass dies der erste Damenbesuch war, seit Rhona ihn verlassen hatte, doch dann erinnerte er sich äußerst vage, dass es schon ein paar Abenteuer für eine Nacht gegeben hatte.

»Die Pressearbeit läuft prima. Und glaub mir, das ist wirklich keine komplette Zeitverschwendung. Heutzutage erfüllt das durchaus seinen Zweck.«

»Ich will es doch gar nicht runtermachen.«

Sie sah ihn an und versuchte abzuschätzen, wie ernst er das meinte.

»Ich weiß nur«, fuhr sie fort, »dass viele unserer Kollegen meinen Job für eine komplette Verschwendung von Zeit und Arbeitskraft halten. Glaub mir, in einem Fall wie diesem ist es dringend notwendig, dass die Medien auf *unserer* Seite sind und dass wir ihnen die Informationen zukommen lassen, die wir zu einem bestimmten Zeitpunkt an die Öffentlichkeit gebracht haben wollen. Das erspart eine Menge Ärger.«

»Hört, hört.«

»Spar dir deine Witze, du Esel.«

Rebus lachte.

»Ich mache niemals Witze. Ich bin durch und durch Polizist.«

Gill Templer starrte ihn erneut an. Sie hatte die typischen Augen eines Inspectors. Sie drangen einem direkt ins Gewissen, spürten Schuld, Arglist und böse Triebe auf und suchten nach verborgener Schuld.

»Und als Pressesprecherin«, sagte Rebus, »musst du also ein ... enges Verhältnis zur Presse pflegen, ja?«

»Ich weiß, worauf Sie hinauswollen, Sergeant Rebus, und als die Ranghöhere fordere ich Sie auf, damit aufzuhören.«

»Sir!« Rebus salutierte knapp.

Dann holte er den Kaffee aus der Küche.

»War das nicht eine schreckliche Party?«, sagte Gill.

»Das war die beste Party, auf der ich je war«, sagte Rebus. »Schließlich hätte ich dich sonst vielleicht nie kennen gelernt.«

Diesmal fing sie schallend an zu lachen, den Mund voll mit einem Brei aus Thunfisch, Brot und Tomate.

»Du bist ja echt verrückt«, rief sie.

Rebus zog lächelnd die Augenbrauen hoch. Beherrschte er das Spiel nicht mehr? Doch, das tat er. Es lief wunderbar.

Irgendwann musste sie ins Bad. Rebus legte gerade eine neue Kassette ein und dachte darüber nach, wie beschränkt doch sein musikalischer Geschmack war. Wer waren all diese Gruppen, die sie immer wieder erwähnte?

»Im Flur«, sagte er. »Linke Seite.«

Als sie zurückkam, lief wieder Jazz, manchmal so leise, dass die Musik kaum zu hören war. Rebus saß wieder in seinem Sessel.

»Was ist das für ein Zimmer gegenüber vom Bad, John?«

»Tja«, sagte er und schenkte Kaffee ein, »das war früher das Zimmer von meiner Tochter, jetzt steht da nur noch Gerümpel drin. Ich benutze es nie.«

»Wann habt ihr euch getrennt, du und deine Frau?«

»Ist noch nicht so lange her, wie es hätte sein sollen. Das ist mein voller Ernst.«

»Wie alt ist deine Tochter?« Sie klang jetzt mütterlich besorgt, war nicht die bissige alleinstehende Karrierefrau.

»Fast zwölf«, sagte er. »Fast zwölf.«

»Das ist ein schwieriges Alter.«

»Jedes Alter ist schwierig.«

Als der Wein ausgetrunken und vom Kaffee nur noch eine halbe Tasse übrig war, schlug einer von ihnen vor, ins Bett zu gehen. Sie lächelten sich verlegen an und gaben sich gegenseitig das rituelle Versprechen, dass sie gar nichts versprechen würden. Und nachdem dieser Vertrag wortlos eingegangen und unterzeichnet war, gingen sie ins Schlafzimmer.

Es fing alles ganz gut an. Schließlich waren sie erwachsene Menschen und hatten dieses Spiel schon zu oft gespielt, um sich von ein bisschen peinlichem Gefummele beirren zu lassen. Rebus war beeindruckt von ihrer Gelenkigkeit und ihrem Erfindungsreichtum und hoffte, dass sie von ihm genauso beeindruckt wäre. Sie hob ihr Becken an, um ihm entgegenzukommen, auf der Suche nach der endgültigen, aber unerreichbaren Vereinigung.

»John.« Sie schob ihn weg.

»Was ist?«

»Nichts. Ich drehe mich jetzt um, okay?«

Er richtete sich auf. Sie drehte ihm den Rücken zu, rutschte auf den Knien über das Bett, bis sie sich mit den Fingerspitzen an der glatten Wand abstützen konnte, und wartete. Während der kurzen Unterbrechung sah Rebus sich im Zimmer um, wo das fahle bläuliche Licht seine Bücher und die Enden der Matratze noch dunkler erscheinen ließ.

»Oh, ein Futon«, hatte sie gesagt, als sie sich rasch auszog. Er hatte still vor sich hin gelächelt.

...

Er schlaffte ab.

»Komm, John. Komm.«

Er beugte sich zu ihr hinab, legte sein Gesicht auf ihren Rücken. Er hatte mit Gordon Reeve über Bücher geredet, als man sie eingesperrt hatte. Es kam ihm so vor, als hätten sie endlos geredet, und er hatte ihm aus dem Kopf rezitiert. In einer engen Zelle, während direkt hinter der verschlossenen Tür die Folter wartete. Aber sie hatten durchgehalten. Ein Erfolg des harten Trainings.

»John, o John.«

Gill richtete sich auf und wandte ihm den Kopf zu. Sie suchte seinen Mund. Gill, Gordon Reeve, die etwas von ihm wollten, das er nicht geben konnte. Trotz des Trainings, der jahrelangen Praxis, der Jahre beharrlicher Arbeit.

»John?«

Aber er war jetzt woanders, war wieder in dem Trainingslager, stapfte wieder durch ein matschiges Feld, der Ausbilder brüllte ihn an, schneller zu laufen, war wieder in jener Zelle und beobachtete, wie ein Kakerlak über den versifften Fußboden krabbelte, wieder in dem Hubschrauber, einen Sack über dem Kopf, Spritzer von salzigem Meerwasser in seinen Ohren ...

»John?«

Sie drehte sich um, peinlich berührt und besorgt zugleich. Sie sah, wie ihm Tränen in die Augen stiegen. Sie drückte seinen Kopf an sich.

»Ach, John. Das macht doch nichts. Wirklich nicht.«
Und kurze Zeit später: »Magst du es so nicht?«

Anschließend lagen sie einfach beieinander. Rebus fühlte sich schuldig und fluchte innerlich über seine vorübergehende Verwirrung sowie über die Tatsache, dass er keine Zigaretten mehr hatte. Inzwischen erzählte sie ihm mit leiser, schläfriger Stimme, aber immer noch besorgt, einige Episoden aus ihrem Leben.

Nach einer Weile vergaß Rebus seine Schuldgefühle, schließlich hatte er keinen Grund, sich schuldig zu fühlen. Er spürte nur noch den deutlichen Nikotinmangel. Und ihm fiel ein, dass er in sechs Stunden Sammy sehen würde und dass ihre Mutter instinktiv wissen würde, was er, John Rebus, in diesen letzten Stunden getrieben hatte. Wie eine Hexe besaß sie die Gabe, in seine Seele zu schauen, und natürlich hatte sie seine gelegentlichen Weinkrämpfe hautnah miterlebt. Das war, wie er vermutete, zum Teil der Grund für ihre Trennung gewesen.

»Wie spät ist es, John?«

»Vier. Vielleicht auch ein bisschen später.«

Er zog seinen Arm unter ihr weg und stand auf, um hinauszugehen.

»Möchtest du was trinken?«, fragte er.

»Woran hast du gedacht?«

»Kaffee vielleicht. Es lohnt sich kaum noch zu schlafen, aber wenn du schlafen möchtest, lass dich nicht von mir stören.«

»Nein, ich nehm den Kaffee.«

Rebus erkannte an ihrer Stimme, an ihrem undeutlichen Gebrabbel, dass sie fest schlafen würde, sobald er in der Küche war.

»Okay«, sagte er.

Er machte für sich eine Tasse starken, süßen Kaffee und ließ sich damit in einem Sessel nieder. Er stellte den kleinen Gasofen im Wohnzimmer an und begann, in einem der herumliegenden Bücher zu lesen. Heute würde er Sammy sehen. Seine Gedanken schweiften von dem Buch ab, einer Geschichte voller Intrigen, an deren Anfang er sich überhaupt nicht mehr erinnern konnte. Sammy war fast zwölf. Sie hatte bereits viele gefahrvolle Jahre überlebt, und jetzt standen ihr andere Gefahren bevor. Zu den Perversen, die auf der Lauer lagen, den alten Männern, die hinter kleinen Mädchen her starrten, und den jugendlichen Sexprotzen würden nun die erwachenden Bedürfnisse der Jungen in ihrem Alter kommen, Jungen, die sie bereits kannte und die sich aus Freunden ganz plötzlich zu wilden Jägern entwickelten. Wie würde sie damit fertig werden? Wenn ihre Mutter dabei irgendwie die Finger im Spiel hatte, würde sie hervorragend damit fertig werden, würde im Clinch beißen und sich an den Seilen wegducken. Ja, sie würde ohne den Rat und den Schutz ihres Vaters überleben.

Die Kids von heute waren härter. Er dachte an seine eigene Jugend zurück. Er war Michaels großer Bruder gewesen und hatte sich für sie beide herumgeprügelt, nur um dann nach Hause zu kommen und zu sehen, wie sein Bruder vom Vater verhätschelt wurde. Er hatte sich immer tiefer in die Kissen auf dem Sofa gedrückt in der Hoffnung, eines Tages ganz zu verschwinden. Dann würde es ihnen Leid tun. Dann würde es ihnen Leid tun …

Um halb acht ging er in das muffige Schlafzimmer, wo es zu zwei Dritteln nach Sex und zu einem Drittel nach Tierhöhle roch, und küsste Gill wach.

»Es wird Zeit«, sagte er. »Steh auf, ich lass dir ein Bad ein.«

Sie roch gut, wie ein Baby auf einem Handtuch am Kamin. Bewundernd betrachtete er ihren eingekuschelten Körper, während sie im schwachen, fahlen Sonnenlicht aufwachte. Sie hatte wirklich eine gute Figur. Praktisch keine Dehnungsstreifen. Keine Orangenhaut an den Beinen. Ihr Haar gerade so zerzaust, um einladend zu wirken.

»Danke.«

Sie musste um zehn im Präsidium sein, um die nächste Pressemitteilung herauszugeben. Es war ihr keine Ruhe gegönnt.

Der Fall wuchs immer weiter, wie ein Krebsgeschwür. Angewidert über den Schmutzrand in der Wanne ließ Rebus das Bad ein. Er brauchte eine Putzfrau. Vielleicht könnte er ja Gill dazu herumkriegen.

Schon wieder ein unwürdiger Gedanke. Vergib mir.

Das veranlasste ihn, darüber nachzudenken, ob er in die Kirche gehen sollte. Schließlich war schon wieder Sonntag, und seit Wochen hatte er sich vorgenommen, dass er es noch einmal versuchen wollte. Er würde sich eine weitere Kirche in der Stadt suchen und es noch einmal probieren.

Er hasste diese Kirchengemeinden, hasste das Lächeln und das Verhalten schottischer Protestanten im Sonntagsstaat, denen es weniger um eine Gemeinschaft mit Gott als mit ihren Nachbarn ging. Er hatte bereits sieben Kirchen unterschiedlicher Konfessionen in Edinburgh ausprobiert, und keine hatte ihm gefallen. Er hatte versucht, sonntags zwei Stunden lang zu Hause zu sitzen, in der Bibel zu lesen und zu beten, aber das funktionierte irgendwie auch nicht. Er saß in der Falle, ein Gläubiger im Zwiespalt mit seiner Religion. Würde Gott ein ganz privater Glaube reichen? Vielleicht, aber nicht *sein* privater Glaube, der offenbar auf Schuldbewusstsein und dem Gefühl von Heuchelei beruhte, das er jedes Mal empfand, wenn er gesündigt hatte, ein Schuldgefühl, das nur durch öffentliche Zurschaustellung gelindert wurde.

»Ist mein Bad fertig, John?«

Nackt und selbstbewusst stand sie da und zauste noch einmal durch ihr Haar. Ihre Brille hatte sie im Schlafzimmer gelassen. John Rebus spürte, dass seine Seele in Gefahr war. Was soll's, dachte er und fasste sie um die Hüften. Das schlechte Gewissen konnte warten. Das schlechte Gewissen konnte immer warten.

Hinterher musste er den Fußboden im Badezimmer aufwischen, mal wieder ein empirischer Beweis für die Wasserverdrängungstheorie des Archimedes. Das Badewasser war wie

Milch und Honig übergeschäumt, und Rebus war fast ertrunken.

Trotzdem fühlte er sich jetzt besser.

»Herr, ich bin ein armer Sünder«, flüsterte er, während Gill sich anzog. Sie wirkte professionell und streng, als sie die Haustür öffnete, fast so als wäre das ein offizieller Besuch von zwanzig Minuten gewesen.

»Können wir was ausmachen?«, fragte er vorsichtig.

»Können wir«, antwortete sie und wühlte in ihrer Handtasche. Rebus hätte zu gern gewusst, warum Frauen das immer machten, nachdem sie mit einem Mann geschlafen hatten, besonders in Spielfilmen und Krimis. Verdächtigten sie ihren Beischläfer, er hätte in ihrer Tasche gestöbert?

»Aber es könnte schwierig werden«, fuhr sie fort, »so wie der Fall zurzeit läuft. Verbleiben wir doch einfach so, dass wir uns melden, okay?«

»Okay.«

Er hoffte, dass sie die leichte Bestürzung in seiner Stimme bemerkte, die Enttäuschung eines kleinen Jungen, dem man eine Bitte abgeschlagen hat.

Sie gaben sich einen letzten flüchtigen Kuss, ihre Münder waren jetzt spröde, und dann war sie fort. Doch ihr Duft blieb zurück, und er atmete ihn tief ein, während er sich auf den vor ihm liegenden Tag vorbereitete. Er fand ein Hemd und eine Hose, die nicht nach Zigarettenqualm stanken, und zog sie gemächlich an. Mit feuchten Fußsohlen betrachtete er sich zufrieden im Badezimmerspiegel und summte ein Kirchenlied.

Manchmal war es gut, am Leben zu sein. Manchmal.

XI

Jim Stevens kippte sich drei weitere Aspirin in den Mund und spülte mit Orangensaft nach. So eine Schande, in einer Bar in Leith gesehen zu werden, wie man Orangensaft nuckelte, doch schon bei der Vorstellung, auch nur ein halbes Pint von dem kräftigen, schäumenden Bier zu trinken, wurde ihm übel. Er hatte viel zu viel auf dieser Party getrunken, viel zu viel, zu schnell und in zu vielen Kombinationen.

Leith versuchte, sein Image zu bessern. Irgendwer hatte beschlossen, es ein bisschen aufzumöbeln. So gab es dort jetzt Cafés und Weinbars in französischem Stil, Studiowohnungen und Delikatessenläden. Doch es war immer noch Leith, immer noch der alte Hafen, ein Echo seiner glorreichen und wilden Vergangenheit, als Bordeauxweine noch gallonenweise entladen und von einem Pferdekarren herab auf der Straße verkauft wurden. Wenn auch von Leith sonst nicht viel übrig geblieben war, es würde immer die Mentalität eines Hafens behalten und die typischen Hafenkaschemmen.

»Mein Gott«, dröhnte eine Stimme hinter ihm, »dieser Mann trinkt alles in Doppelten, selbst Soft Drinks!«

Eine schwere Faust, zweimal so groß wie seine eigene, landete auf Stevens' Rücken. Eine dunkelhäutige Gestalt machte sich auf dem Hocker neben ihm breit. Die Hand blieb beharrlich da, wo sie war.

»Hallo, Podeen«, sagte Stevens. Er fing in der stickigen Kneipenluft an zu schwitzen, und sein Herz hämmerte – die letzten Symptome eines Katers. Er konnte riechen, wie der Alkohol aus seinen Poren dünstete.

»Meine Güte, James, mein Junge, was zum Teufel säufst du denn da? Barmann, mach diesem Mann schnell einen Whisky. Sonst kommt er noch von dieser Kinderplörre um!«

Unter schallendem Lachen nahm Podeen seine Hand gerade so lange vom Rücken des Reporters, dass der Druck nicht mehr zu spüren war, bevor er sie wieder klatschend darauf niedersausen ließ. Stevens fühlte, wie seine Eingeweide rebellierten.

»Was kann ich denn heute für dich tun?«, sagte Podeen nun sehr viel leiser.

Big Podeen war zwanzig Jahre lang Seemann gewesen und

hatte die Narben und Scharten von etwa tausend Häfen an seinem Körper. Wie er heutzutage sein Geld verdiente, wollte Stevens gar nicht wissen. Manchmal verdingte er sich als Rausschmeißer in Pubs auf der Lothian Road oder in zweifelhaften Kaschemmen in Leith, doch das war, was seine Einkünfte betraf, wohl nur die Spitze des Eisbergs. Podeens Finger starrten dermaßen vor Dreck, als hätte er eigenhändig jedes krumme Geschäft aus dem modrigen, fruchtbaren Boden unter ihm erschaffen.

»Eigentlich nichts, Big Man. Ich denke nur über ein paar Dinge nach.«

»Barmann, besorgst du mir ein Frühstück? Von allem doppelte Portion.«

Der Barmann, der vor Podeen beinah salutierte, verschwand, um die Bestellung weiterzugeben.

»Siehst du«, sagte Podeen, »du bist nicht der Einzige, der von allem das Doppelte bestellt, was, Jimmy?«

Die Hand hob sich erneut von Stevens' Rücken. Er verzog das Gesicht, weil er auf den nächsten Schlag wartete, doch der Arm landete stattdessen neben ihm auf der Bar. Er seufzte hörbar auf.

»Hast wohl 'nen harten Abend hinter dir, Jimmy?«

»Ich wünschte, ich könnte mich daran erinnern.«

Er war sehr spät am Abend in einem der Schlafzimmer eingeschlafen. Dann war ein Paar hereingekommen. Die hatten ihn ins Badezimmer getragen und in die Wanne gelegt. Dort hatte er zwei Stunden geschlafen, vielleicht auch drei. Als er aufwachte, waren sein Hals, sein Rücken und die Beine grausam steif. Er hatte etwas Kaffee getrunken, aber nicht genug, bei weitem nicht genug.

Und dann war er durch die kühle Morgenluft gelaufen, hatte in einem Zeitungsladen mit ein paar Taxifahrern geplaudert, in einem der großen Hotels auf der Princes Street mit dem verschlafenen Nachtportier in dessen Kabäuschen gesessen und süßen Tee mit ihm getrunken und über Fußball geredet. Doch er hatte gewusst, dass er hier enden würde, denn es war sein freier Vormittag und er hing wieder an dieser Drogengeschichte, seinem privaten Hobby.

»Wird hier im Moment viel Stoff verschoben, Big?«

»Tja, das kommt drauf an, wonach du suchst, Jimmy. Man munkelt übrigens, dass du langsam ein bisschen zu neugierig wirst. Am besten hältst du dich an die sicheren Drogen. Lass die Finger von dem harten Stoff.«

»Soll das eine gut gemeinte Warnung sein oder eine Drohung, oder was?« Stevens war nicht in der Stimmung, sich drohen zu lassen, nicht wenn er sich mit einem Sonntagmorgenkater herumschlagen musste.

»Es war eine *freundliche* Warnung, eine Warnung von einem Freund.«

»Wer ist der Freund, Big?«

»Ich, du Blödmann. Sei doch nicht immer so misstrauisch. Hör zu, hier wird ein bisschen Cannabis vertickt, aber das ist so ziemlich alles. Niemand bringt das harte Zeug mehr nach Leith. Die laden das an der Küste von Fife oder oben in der Nähe von Dundee ab. An Orten, wo es keine Zollbeamten mehr gibt. Und das ist die Wahrheit.«

»Ich weiß, Big, ich weiß. Aber irgendwas *wird* hier verschoben. Ich hab's selbst gesehen, ich weiß nur nicht, was es ist. Ob harter Stoff oder nicht. Ich hab selber eine Übergabe gesehen. Erst kürzlich.«

»Wann?«

»Gestern.«

»Wo?«

»Auf dem Calton Hill.«

Big Podeen schüttelte den Kopf.

»Dann hat es mit niemandem zu tun, den ich kenne, Jimmy.«

Stevens kannte Big Man, kannte ihn gut. Er lieferte gute Informationen, aber es waren nur Tipps, die er von Leuten erhielt, die wollten, dass Stevens irgendwas erfuhr. So rückten beispielsweise die Heroinjungs via Big Informationen über den Handel mit Cannabis raus. Wenn Stevens die Story aufgriff, bestand eine gute Chance, dass die Cannabis-Dealer geschnappt wurden. Und dann hatten die Heroinjungs das ganze Terrain für sich. Das war klug gemacht – Komplott und Gegenkomplott. Das Risiko war allerdings hoch. Aber Stevens war ein kluger Mitspieler. Er wusste, dass es ein stillschweigendes Einvernehmen gab, die wirklich großen Spieler in Ruhe zu lassen, denn sonst wäre es den Geschäftsleuten und Bürokraten der Stadt an den Kragen gegangen, den adeligen Grundbesitzern und den Mercedesfahrern der New Town.

Und das konnte man nicht zulassen. Also fütterte man ihn nur mit kleinen Häppchen, die aber reichten, um die Druckerpressen am Laufen zu halten, und dafür sorgten, dass die Leute sich darüber aufregten, wie Edinburgh allmählich vor die Hunde ging. Immer ein bisschen, niemals das Ganze. Das war Stevens klar. Er hatte das Spiel schon so lange mitgespielt, dass er manchmal kaum noch wusste, auf welcher Seite er stand. Was letztendlich auch nicht viel zu bedeuten hatte.

»Du weißt also nichts darüber?«

»Nichts, Jimmy. Aber ich hör mich mal um. Mal sehen, was sich so tut. Doch was anderes, da hat 'ne neue Kneipe aufgemacht, in der Nähe von dem Mackay-Autosalon. Weißt du, wo ich meine?«

Stevens nickte.

»Ja also«, fuhr Podeen fort, »nach vorne hin ist es 'ne Kneipe, aber hinten durch ist's ein Puff. Da ist so 'ne scharfe kleine Bardame, die nachmittags ihre Dienste anbietet, falls du Interesse hast.«

Stevens lächelte. Da versuchte also jemand Neues, sich ins Geschäft zu drängen, und das gefiel den Alteingesessenen, die letztlich Podeens Brötchengeber waren, nicht. Und deshalb bekam er, Jim Stevens, genug Informationen zugespielt, um den Neuen das Handwerk zu legen, wenn er wollte. Da steckte sicher eine hübsche Schlagzeile drin, aber es war nur eine Eintagsfliege.

Warum riefen die nicht einfach anonym bei der Polizei an? Er glaubte, die Antwort darauf zu kennen, obwohl er es lange Zeit nicht hatte verstehen können. Die spielten das Spiel nach den altmodischen Regeln, und das hieß, niemanden an den Feind zu verpfeifen. Stattdessen überließ man ihm die Rolle des Botenjungen, eines Botenjungen allerdings, der Macht innerhalb des Systems besaß. Zwar nur ein bisschen Macht, aber immerhin mehr als die Typen, die stets auf dem Pfad der Tugend wandelten.

»Danke, Big. Ich werd mich drum kümmern.«

In dem Moment kam das Essen, Berge von gewelltem, glänzendem Speck, zwei weiche, fast durchsichtige Spiegeleier, Champignons, geröstetes Brot, Baked Beans. Stevens hielt den Blick starr auf die Bar gerichtet, als würde er sich plötzlich sehr für einen der Bierdeckel interessieren, die noch feucht vom Samstagabend waren.

»Ich geh damit rüber an meinen Tisch, okay, Jimmy?«

Stevens konnte sein Glück kaum fassen.

»Kein Problem, Big Man, kein Problem.«

»Tschüss dann.«

Und damit blieb er allein zurück, nur noch ein Hauch von Essensgeruch hing in der Luft. Da fiel ihm auf, dass der Barmann ihm gegenüber stand. Seine fettglänzende Hand war ausgestreckt.

»Zwei Pfund sechzig«, sagte er.

Stevens seufzte. Verbuch das unter Erfahrungen, dachte er bei sich, während er bezahlte, oder schieb's auf den Kater. Die Party hatte sich dennoch gelohnt, schließlich hatte er John Rebus kennen gelernt. Und Rebus war mit Gill Templer befreundet. Das machte zwar alles noch ein bisschen verwirrender, aber auch interessanter. Rebus war ganz gewiss interessant, obwohl er rein äußerlich überhaupt nicht seinem

Bruder ähnelte. Der Mann wirkte durchaus ehrlich, aber wie sollte man einem Polizisten rein äußerlich ansehen, ob er korrupt war? Es war ja das Innere, was verdorben war. Rebus hatte also ein Verhältnis mit Gill Templer. Er erinnerte sich an die Nacht, die er mit ihr verbracht hatte, und schauderte. Das war ganz bestimmt sein absoluter Tiefpunkt gewesen.

Er zündete sich eine Zigarette an, die zweite an diesem Tag. Er fühlte sich immer noch dumpf im Kopf, aber sein Magen hatte sich anscheinend ein wenig erholt. Vielleicht wurde er sogar langsam hungrig. Rebus sah nach einem harten Burschen aus, aber nicht so hart, wie er vor zehn Jahren gewesen sein musste. In diesem Augenblick lag er vermutlich mit Gill Templer im Bett. Dieser Schweinehund. Dieser glückliche Schweinehund. Sein Magen schlug in einem plötzlichen Anfall von Eifersucht einen kleinen Purzelbaum. Die Zigarette tat ihm gut. Sie erfüllte ihn mit neuer Lebenskraft oder schien es zumindest zu tun. Doch er wusste, dass sie ihn auch innerlich zerfraß, seine Eingeweide in dunkelrote Fetzen riss. Zum Teufel damit. Er rauchte, weil er ohne Zigaretten nicht denken konnte. Und jetzt dachte er gerade heftig.

»Hey, machst du mir ’nen Doppelten?«

»Noch ’nen Orangensaft?«

Stevens sah ihn fassungslos an.

»Bist du bekloppt«, sagte er, »Whisky, und zwar Grouse, wenn das da in der Flasche wirklich Grouse ist.«

»Diese Art Spielchen spielen wir hier nicht.«

»Freut mich zu hören.«

Er trank den Whisky und fühlte sich besser. Dann begann er sich wieder schlechter zu fühlen. Er ging zur Toilette, doch von dem Gestank da drinnen wurde ihm noch schlechter. Er beugte sich über das Waschbecken und brachte unter lautem Würgen einige wenige Tropfen Flüssigkeit heraus. Er musste mit dem Saufen aufhören. Er musste mit dem Rauchen aufhören. Das brachte ihn um, und doch war es das Einzige, was ihn am Leben erhielt.

Schwitzend ging er zu Big Podeens Tisch hinüber. Er fühlte sich alt, älter als er war.

»Das war ein echt gutes Frühstück«, sagte der massige Mann und seine Augen strahlten wie die eines Kindes.

Stevens setzte sich neben ihn.

»Was hört man denn so über korrupte Bullen?«, fragte er.

XII

»Hallo, Daddy.«

Sie war elf, sah aber älter aus und redete und lächelte auch so; elf mit einem Touch von einundzwanzig. Das hatte das Zusammenleben mit Rhona aus seiner Tochter gemacht. Er küsste sie auf die Wange und dachte daran, wie Gill sich verabschiedet hatte. Ein Hauch von Parfüm umgab sie, und ihre Augen waren leicht geschminkt.

Er hätte Rhona umbringen können.

»Hallo, Sammy«, sagte er.

»Mummy meint, ich sollte mich jetzt Samantha nennen lassen, wo ich schon so groß bin, aber es ist sicher okay, wenn *du* mich weiter Sammy nennst.«

»Nun ja, Mummy weiß das sicher am besten, Samantha.«

Er warf einen Blick auf seine Frau, die bereits wieder auf Abstand gegangen war. So schlank wie sie aussah, musste sie sich gewaltsam in einen besonders festen Hüfthalter gezwängt haben. Erleichtert stellte er fest, dass sie nicht so gut mit der Situation fertig wurde, wie ihre gelegentlichen Telefongespräche es ihm suggerieren wollten. Jetzt stieg sie, ohne sich noch einmal umzudrehen, in ihr Auto, ein kleines und teures Modell, das jedoch auf einer Seite eine ganz schöne Delle hatte. Rebus war dankbar für diese Delle.

Er erinnerte sich, wie er ihren Körper genossen hatte, wenn sie sich liebten, das weiche Fleisch – die Fettpolster, wie sie es nannte – auf ihren Oberschenkeln und ihrem Rücken. Heute hatte sie ihn mit kalten Augen angesehen, zunächst voller Ahnungslosigkeit, und hatte dann gesehen, wie seine Augen immer noch vor sexueller Befriedigung glänzten. Darauf hatte sie sich auf dem Absatz umgedreht. Es war also wahr, sie konnte immer noch in sein Herz sehen. Doch sie hatte es nie geschafft, in seine Seele zu sehen. Dieses lebenswichtige Organ war ihr völlig entgangen.

»Was möchtest du denn machen?«

Sie standen am Eingang zu den Princes Street Gardens, ganz in der Nähe der Touristenattraktionen von Edinburgh. Nur wenige Leute schlenderten an diesem Sonntag an den geschlossenen Läden auf der Princes Street vorbei, während andere auf den Bänken im Park saßen und die Tauben und Eichhörnchen mit Brotkrumen fütterten oder in den Sonntagszeitungen mit ihren fetten Schlagzeilen lasen. Über ihnen erhob sich das Schloss, dessen Flaggen heftig in dem nur zu vertrauten Wind flatterten. Das Scott Monument, diese gotische Rakete, wies den Gläubigen die richtige Richtung, doch nur wenige der Touristen, die das Bauwerk mit ihren teuren japanischen Kameras knipsten, schienen sich für seine symbolische Bedeutung zu interessieren und schon gar nicht für das Gebäude an sich, solange sie einige Fotos davon hatten, um vor ihren Freunden zu Hause damit angeben zu können. Diese Touristen verbrachten so viel Zeit damit, Dinge zu fotografieren, dass sie eigentlich nie etwas richtig *sahen*, ganz im Gegensatz zu den jungen Leuten, die durch die Gegend zogen und so sehr damit beschäftigt waren, das Leben zu genießen, dass sie gar nicht auf die Idee kamen, falsche Eindrücke davon einzufangen.

»Was möchtest du denn machen?«

Die touristische Seite seiner Hauptstadt. Diese Leute interessierten sich nie für die Wohnsiedlungen außerhalb des Bilderbuchzentrums. Sie wagten sich nie nach Pilton oder Niddrie oder Oxgangs hinaus, um in einer nach Pisse stinkenden Mietskaserne eine Verhaftung vorzunehmen. Die Dealer und

Junkies von Leith berührten sie nicht, erst recht nicht die geschickte Korruption der Herren der Stadt oder die kleinen Eigentumsdelikte in einer Gesellschaft, die so weit in den Materialismus getrieben worden war, dass Stehlen die einzige Möglichkeit zur Befriedigung all dessen war, was die Leute für ihre Bedürfnisse hielten. Und da die Touristen nicht hier waren, um Lokalzeitungen zu lesen oder Lokalfernsehen zu gucken, wussten sie höchstwahrscheinlich auch nichts von Edinburghs neuestem Medienstar, dem Kindermörder, den die Polizei nicht fassen konnte, dem Mörder, der die Vertreter von Recht und Ordnung an der Nase herumführte, der ihnen keinerlei Anhaltspunkte hinterließ und ihnen nicht die geringste Chance gab, ihn aufzuspüren, solange er keinen Fehler machte. Er bedauerte Gill wegen ihres Jobs. Er bedauerte sich selbst. Er bedauerte die ganze Stadt bis hin zu ihren Gaunern und Banditen, ihren Huren und Spielern, ihren ewigen Verlierern und Gewinnern.

»Also, was möchtest du nun machen?«

Seine Tochter zuckte die Schultern.

»Ich weiß nicht. Vielleicht ein bisschen spazieren gehen? 'ne Pizza essen? Ins Kino gehen?«

Sie gingen spazieren.

John Rebus hatte Rhona Phillips kennen gelernt, kurz nachdem er bei der Polizei angefangen hatte. Davor hatte er einen Nervenzusammenbruch erlitten (*warum hast du die Armee verlassen, John?*) und sich in einem Fischerdorf an der Küste von Fife davon erholt. Damals hatte er Michael nicht gesagt, dass er sich in Fife aufhielt.

In seinem ersten Urlaub bei der Polizei, seinem ersten *richtigen* Urlaub seit Jahren – die anderen waren für irgendwelche Kurse oder Prüfungsvorbereitungen draufgegangen – war Rebus in dieses Fischerdorf zurückgekehrt, und dort hatte er Rhona kennen gelernt. Sie war Lehrerin und hatte bereits eine grausam kurze und unglückliche Ehe hinter sich. In John Rebus sah sie einen starken und aufrechten Ehemann, jemanden, der keinem Streit aus dem Wege gehen würde; aber auch jemanden, den sie umsorgen konnte, denn hinter seiner äußeren Stärke verbarg sich unübersehbar eine innere Zerbrechlichkeit. Sie erkannte, dass er immer noch von seinen Jahren bei der Armee heimgesucht wurde, besonders von der Zeit bei der »Spezialeinheit«. Manchmal wachte er nachts weinend auf, und manchmal weinte er, wenn sie sich liebten, ein stilles Weinen, und die Tränen fielen langsam und hart auf ihre Brust. Er wollte nicht viel darüber reden, und sie hatte ihn nie gedrängt. Sie wusste, dass er während der Ausbildung einen Freund verloren hatte. Das konnte sie nachvollziehen, und er sprach das Kind in ihr an und zugleich die Mutter. Er schien perfekt. Viel zu perfekt.

Aber das war er nicht. Er hätte niemals heiraten dürfen. Zunächst lebten sie halbwegs glücklich, sie unterrichtete Englisch in Edinburgh, bis Samantha geboren wurde. Dann jedoch wurden aus den kleinen Streitereien und Machtspielchen heftige Auseinandersetzungen und anhaltendes Misstrauen. Traf sie sich mit einem anderen Mann, einem Kollegen an ihrer Schule? Traf er sich mit einer anderen Frau, wenn er angeblich eine seiner zahlreichen Doppelschichten hatte? Nahm sie Drogen, ohne dass er es wusste? Nahm er Schmiergelder, ohne dass sie es wusste? Tatsächlich waren all diese Verdächtigungen völlig aus der Luft gegriffen, doch darum schien es auch gar nicht zu gehen. Vielmehr schien sich etwas ganz anderes zusammenzubrauen, doch keiner von ihnen erkannte das Unvermeidliche, bevor es zu spät war. Stattdessen kuschelten sie sich immer wieder aneinander und versöhnten sich, als befänden sie sich in einem mittelalterlichen Theaterstück oder einer Seifenoper. Man musste schließlich an das Kind denken.

Das Kind, Samantha, war mittlerweile eine junge Dame geworden, und Rebus spürte, wie sein Blick abschätzend und schuldbewusst (mal wieder) zugleich zu ihr schweifte, während sie durch die Parkanlage unterhalb des Schlosses auf das

ABC-Kino in der Lothian Road zugingen. Sie war nicht schön, denn das konnten nur Frauen sein, doch sie war dabei, zu einer Schönheit heranzuwachsen, und das mit einer Unvermeidlichkeit, die atemberaubend, aber auch erschreckend war. Er war schließlich ihr Vater. Da hatte man doch irgendwelche Gefühle, das gehörte einfach dazu.

»Willst du mir nichts von Mummys neuem Freund erzählen?«

»Du weißt verdammt genau, dass ich das will.«

Sie kicherte. Also war doch noch etwas von dem kleinen Mädchen in ihr, doch selbst ihr Kichern hörte sich jetzt anders an, es schien beherrschter, fraulicher.

»Er ist angeblich ein Dichter, aber er hat bisher noch kein Buch oder sonst was rausgebracht. Seine Gedichte sind außerdem Scheiße, aber das will Mummy ihm nicht sagen. Sie glaubt, die Sonne scheint aus seinem na-du-weißt-schon.«

Sollte dieses »erwachsene« Gerede ihn beeindrucken? Vermutlich.

»Wie alt ist er?«, fragte Rebus und erschrak über seine plötzliche Eitelkeit.

»Ich weiß nicht. Zwanzig vielleicht.«

Das traf ihn wie ein Schlag. Zwanzig. Sie vergriff sich schon an Kindern. Mein Gott. Was hatte das für Auswirkungen auf Samantha, die angebliche Erwachsene? Ihm grauste bei dem Gedanken, aber schließlich war er kein Psychoanalytiker. Das war Rhonas Bereich oder war es mal gewesen.

»Also ehrlich, Dad, er ist ein *furchtbarer* Dichter. Da hab ich bessere Sachen in meinen Aufsätzen in der Schule geschrieben. Nach den Sommerferien gehe ich auf die Schule für die Großen. Wird lustig sein, in die Schule zu gehen, an der Mum arbeitet.«

»Ja, wird es sicher.« Rebus merkte, dass etwas an ihm nagte. Ein Dichter von zwanzig Jahren. »Wie heißt denn dieser Knabe?«, fragte er.

»Andrew«, sagte sie. »Andrew Anderson. Klingt das nicht

komisch? Eigentlich ist er ganz nett, aber auch ein bisschen merkwürdig.«

Rebus fluchte leise vor sich hin. Andersons Sohn, der wandernde Dichtersohn des gefürchteten Anderson, war bei Rebus' Frau eingezogen. Was für eine Ironie des Schicksals! Er wusste nicht, ob er lachen oder weinen sollte. Lachen schien eine Winzigkeit angemessener.

»Was lachst du, Daddy?«

»Ach nichts, Samantha. Ich freu mich bloß. Was hast du gerade gesagt?«

»Ich hab gesagt, dass Mum ihn in der Bibliothek kennen gelernt hat. Da gehen wir oft hin. Mum liebt diese literarischen Bücher, aber ich mag lieber Bücher über Liebesgeschichten und Abenteuer. Ich kann die Bücher, die Mum liest, überhaupt nicht verstehen. Habt ihr die gleichen Bücher gelesen, als ihr noch ... bevor ihr ...?«

»Ja, das haben wir, aber ich konnte sie auch nicht verstehen, also mach dir deswegen keine Sorgen. Ich bin froh, dass du viel liest. Wie ist diese Bibliothek denn so?«

»Sie ist wirklich riesig, aber es kommen viele Penner dahin, um zu schlafen. Die hängen da ständig rum. Sie nehmen sich ein Buch, setzen sich damit hin und schlafen einfach ein. Die stinken furchtbar!«

»Du brauchst ja nicht in ihre Nähe zu gehen. Am besten kümmerst du dich gar nicht um sie.«

»Ja, Daddy.« Ihre Stimme klang leicht vorwurfsvoll. Das sollte ihm wohl sagen, dass derlei väterlicher Rat unnötig war.

»Hast du denn Lust, ins Kino zu gehen?«

Doch das Kino war geschlossen, also gingen sie in eine Eisdiele in Tollcross. Rebus sah zu, wie Samantha Eiskugeln in fünf verschiedenen Farben aus einem Knickerbocker-Glory-Becher in sich hineinschaufelte. Sie war noch in der Phase, wo sie alles essen konnte, ohne ein Gramm zuzunehmen. Rebus war sich seines gedehnten Hosenbunds nur zu bewusst, seines Bauches, dem er gestattete, sich nach Belieben auszubreiten. Er trank einen Cappuccino (ohne Zucker) und beobachtete aus den Augenwinkeln, wie eine Gruppe von Jungen an einem anderen Tisch flüsternd und kichernd zu ihm und seiner Tochter herübersahen. Sie schoben ihre Haare zurück und zogen an ihren Zigaretten, als ob es das Leben selbst wäre. Wenn Sammy nicht dabei gewesen wäre, hätte er sie wegen selbstverschuldeter Wachstumshemmung verhaftet.

Außerdem beneidete er sie um ihre Zigaretten. Er rauchte nämlich nicht, wenn er mit Sammy zusammen war; sie mochte das nicht. Auch ihre Mutter hatte ihn vor langer Zeit angebrüllt, er solle damit aufhören, und hatte seine Zigaretten und sein Feuerzeug versteckt, woraufhin er überall im Haus kleine versteckte Depots mit Zigaretten und Streichhölzern angelegt hatte. Er hatte rücksichtslos weiter geraucht und siegesbewusst gelacht, wenn er mal wieder mit einer brennenden Zigarette zwischen den Lippen ins Wohnzimmer geschlendert kam und Rhona ihn anschrie, er solle das verdammte Ding ausmachen, um ihn dann mit wild fuchtelnden Händen durch das Zimmer zu jagen, bereit, ihm den Glimmstengel aus dem Mund zu hauen.

Das waren glückliche Zeiten gewesen, in denen sie ihre Konflikte noch liebevoll ausgetragen hatten.

»Wie geht's in der Schule?«

»Ganz gut. Hast du mit diesem Mordfall zu tun?«

»Ja.« Gott, er hätte für eine Zigarette morden können, einem der Jungen den Kopf abreißen können.

»Wirst du ihn erwischen?«

»Ja.«

»Was macht er mit den Mädchen, Daddy?« Ihre Augen, die ganz beiläufig zu blicken versuchten, untersuchten den fast leeren Eisbecher sehr gründlich.

»Er macht nichts mit ihnen.«

»Ermordet sie nur?« Ihre Lippen waren blass. Plötzlich war sie wieder ganz sein Kind, ganz seine Tochter, die seinen Schutz brauchte. Rebus hätte am liebsten den Arm um sie gelegt, sie getröstet und ihr gesagt, dass die große böse Welt irgendwo dort draußen war, nicht hier drinnen, dass sie in Sicherheit war.

»Das stimmt«, sagte er stattdessen.

»Ich bin froh, dass er nicht mehr macht.«

Die Jungen fingen jetzt an zu pfeifen, um Sammys Aufmerksamkeit zu erregen. Rebus spürte, wie er rot im Gesicht wurde. An einem anderen Tag, an jedem anderen Tag wäre er schnurstracks auf sie zugesteuert und hätte ihnen das Gesetz in ihre kalten kleinen Gesichter gerammt. Aber er war nicht im Dienst. Er war dabei, einen Nachmittag mit seiner Tochter zu genießen, dem unberechenbaren Produkt eines einzigen hinausgestöhnten Höhepunkts, bei dem ein Spermium das Glück hatte, durch den Schleim hindurch den langen Weg bis zum Ziel zu schaffen. Zweifellos würde Rhona inzwischen bereits nach ihrem Buch des Tages greifen, ihrer Literatur. Sie würde den reglosen, erschöpften Körper ihres Liebhabers von sich stoßen, ohne dass ein Wort zwischen ihnen fiel. War sie in Gedanken die ganze Zeit bei ihren Büchern? Vielleicht. Und er, der Liebhaber, würde sich plötzlich ausgehöhlt und leer fühlen, ganz so, als hätte nie ein Austausch stattgefunden. Das war ihr Sieg.

Und mit einem Kuss würde er sie dann anschreien. Der Schrei des Verlangens, der Einzelhaft.

Lasst mich raus. Lasst mich raus ...

»Komm, lass uns gehen.«

»Okay.«

Und als sie an dem Tisch mit den schmachtenden Jungen vorbeikamen, deren Gesichter kaum ihre Lust verhüllten und die wie Affen plapperten, lächelte Samantha einen von ihnen an. *Sie lächelte einen von ihnen an.*

Während Rebus gierig die frische Luft einatmete, fragte er sich, was aus dieser Welt geworden war. Vielleicht glaubte er nur deshalb an eine andere Realität hinter den Dingen, weil das Alltägliche so beängstigend und so furchtbar traurig war.

Denn wenn es darüber hinaus nichts gab, dann wäre das Leben die erbärmlichste Erfindung aller Zeiten. Er hätte diese Jungen umbringen können, und er wollte seine Tochter mit seiner Liebe erdrücken, um sie vor dem zu schützen, was sie wollte – und bekommen würde. Ihm wurde klar, dass er ihr im Gegensatz zu diesen Jungen nichts zu sagen hatte, dass er nichts mit ihr gemein hatte bis auf das Blut, während sie alles mit ihr gemein hatten. Der Himmel war so finster wie in einer Wagner-Oper, so finster wie die Gedanken eines Mörders. Die Gleichnisse wurden immer düsterer, während John Rebus' Welt auseinander fiel.

»Es wird Zeit«, sagte sie – an seiner Seite und doch irgendwie so viel größer als er, so viel mehr voller Leben. »Es wird Zeit.«

Und das wurde es tatsächlich.

»Wir sollten uns beeilen«, sagte Rebus. »Es fängt gleich an zu regnen.«

Er war müde und dachte daran, dass er nicht geschlafen hatte, dass er während der kurzen Nacht schwer geschuftet hatte. Er fuhr mit dem Taxi nach Hause – scheiß auf das Geld – und schleppte sich die gewundene Treppe zu seiner Wohnung hinauf. Der Katzengestank war überwältigend. Hinter seiner Tür erwartete ihn ein nicht abgestempelter Brief. Er fluchte laut. Der Dreckskerl war überall, überall und doch unsichtbar. Er riss den Brief auf und las.

Du kommst nicht weiter. Kein Stück weiter. Stimmt's?

unterzeichnet

Aber da war keine Unterschrift, jedenfalls keine handschriftliche. Doch in dem Umschlag lag, wie ein Kinderspielzeug, ein Stück Schnur mit einem Knoten.

»Warum tust du das, Mister Knoten?«, sagte Rebus, während er die Schnur befühlte. »Und was tust du überhaupt?«

In der Wohnung war es wie in einem Kühlschrank; die Zündflamme war schon wieder ausgegangen.

TEIL DREI

Knoten

XIII

Die Medien, die spürten, dass der »Würger von Edinburgh« sich nicht einfach in Luft auflösen würde, stiegen voll in die Geschichte ein und schufen ein Monster. Fernseh-Crews zogen in einige der besseren Hotelzimmer in der Stadt, und die Stadt war ganz froh, sie zu haben, da die Touristensaison noch nicht so richtig begonnen hatte.

Als gewiefter Chefredakteur ließ Tom Jameson ein Team von vier Reportern an der Geschichte arbeiten. Allerdings entging ihm nicht, dass Jim Stevens nicht gerade in Bestform war. Er wirkte desinteressiert – ein schlechtes Zeichen bei einem Journalisten. Jameson machte sich Sorgen. Stevens war der Beste, den er hatte. Sein Name war den Leuten ein Begriff. Er würde mit ihm darüber reden müssen.

Da der Fall mit dem wachsenden Interesse immer größere Dimensionen annahm, konnten John Rebus und Gill Templer fast nur noch per Telefon miteinander reden und nur gelegentlich liefen sie sich im Präsidium oder dessen Umgebung über den Weg. Rebus bekam seine alte Dienststelle kaum noch zu sehen. Im Grunde war er selber ein Opfer des Mordfalls, und man erklärte ihm, er dürfe von früh bis spät an nichts anderes denken. In Wirklichkeit dachte er über alles andere nach, über Gill, über die Briefe und darüber, dass sein Auto nicht durch den TÜV kommen würde. Und die ganze Zeit beobachtete er Anderson, den Vater von Rhonas Geliebten, beobachtete ihn, wie er immer verzweifelter nach einem Motiv, einem Anhaltspunkt, nach irgendetwas suchte. Es war fast ein Vergnügen, den Mann in Aktion zu erleben.

Was die Briefe anging, so war Rebus mittlerweile ziemlich überzeugt, dass seine Frau und seine Tochter nichts damit zu tun hatten. Ein schwacher Fleck auf Mr. Knotens letztem Schreiben war (als Gegenleistung für ein Pint) von den Jungs im Labor untersucht worden und hatte sich als Blut herausgestellt. Hatte der Mann sich am Finger verletzt, als er die Schnur abschnitt? Ein weiteres kleines Rätsel. Und Rebus' Leben war voller Rätsel. Und nicht das Geringste davon war, wohin seine täglich erlaubten zehn Zigaretten verschwanden. Wenn er am späten Nachmittag sein Päckchen aufmachte und zählte, wie viel noch drin war, stellte er regelmäßig fest, dass er anscheinend seine gesamte Ration bereits aufgeraucht hatte. Es war absurd. Er konnte sich kaum erinnern, eine von den zehn geraucht zu haben, geschweige denn alle. Doch die Anzahl der Kippen in seinem Aschenbecher stellte einen so schlagenden empirischen Beweis dar, dass jedes Leugnen vergebens war. Aber verdammt merkwürdig war es schon. Es war, als würde er einen Teil seines wachen Daseins ausschalten.

Er war zurzeit in der Einsatzzentrale im Präsidium stationiert, während Jack Morton, das arme Schwein, bei den Von-Haus-zu-Haus-Befragungen eingesetzt war. Von seinem Posten aus konnte Rebus erkennen, wie stümperhaft Anderson die Ermittlungen leitete. Kaum verwunderlich, dass aus dem Sohn dieses Mannes nichts Gescheites geworden war. Rebus musste sich mit den vielen Telefonanrufen auseinander setzen – von Leuten, die zu helfen versuchten, bis zu irgendwelchen Verrückten, die ein Geständnis ablegen wollten – und außerdem die Protokolle der Vernehmungen sichten, die zu jeder Tages- und Nachtzeit im Gebäude selbst geführt wurden. Es gab Hunderte davon, und alle mussten sie abgeheftet und auf irgendeine Art nach ihrer Wichtigkeit geordnet werden. Es war eine endlose Aufgabe, aber es bestand immer die Chance, dass sich ein Hinweis daraus ergeben könnte. Deshalb konnte er sich keine Nachlässigkeit erlauben.

In der hektischen, schweißtreibenden Kantine hatte er Zigarette Nummer elf geraucht, wobei er sich einredete, das sei ein Vorgriff auf die nächste Tagesration, und die Zeitung gelesen. Offenbar suchten sie jetzt nach neuen, schockierenden Adjektiven, nachdem sie ihre Wort-Vorräte ausgeschöpft hatten. Die erschreckenden, wahnsinnigen, abgrundtief bösen Verbrechen des Würgers. Dieser geisteskranke, böse, von Sex besessene Mann. (Es schien sie nicht zu kümmern, dass der Mörder keines seiner Opfer sexuell missbraucht hatte.) Schulmädchen-Killer! »Was macht unsere Polizei bloß? Alle Technologie der Welt ist kein Ersatz für das Gefühl der Sicherheit, das uns Bobbys auf Streife geben. JETZT BRAUCHEN WIR SIE.« Das stammte von James Stevens, unserem Polizeireporter. Rebus erinnerte sich an den stämmigen, betrunkenen Mann von der Party. Er erinnerte sich an Stevens' Gesichtsausdruck, als er Rebus' Namen erfuhr. Das war merkwürdig. Alles war verdammt merkwürdig. Rebus legte die Zeitung hin. Reporter. Erneut wünschte er Gill alles Gute bei ihrer Arbeit. Er betrachtete das verschwommene Foto auf der Titelseite des Boulevardblatts. Es zeigte ein etwas dümmlich dreinschauendes Kind mit kurzen Haaren. Das Mädchen grinste nervös, als ob das Bild gestellt wäre. Zwischen den Schneidezähnen hatte sie eine schmale Lücke, was ihr etwas Liebenswertes gab. Arme Nicola Turner, zwölf Jahre alt, Schülerin einer der Gesamtschulen im Süden der Stadt. Sie hatte keinerlei Beziehung zu irgendeinem der anderen toten Mädchen. Es bestanden keine erkennbaren Verbindungen zwischen ihnen. Hinzu kam noch, dass der Mörder einen Jahrgang nach oben gegangen war und sich diesmal ein Mädchen aus dem Gymnasium ausgesucht hatte. Also war auch das Alter kein konstanter Faktor. Es blieb alles weiterhin vollkommen willkürlich. Das machte Anderson wahnsinnig.

Doch Anderson würde niemals zugeben, dass der Mörder seine geliebte Polizeitruppe an der Nase herumführte. Völlig an der Nase herumführte. Es *musste* irgendwelche Anhaltspunkte geben. Die musste es einfach geben. Rebus trank seinen Kaffee aus und spürte, wie ihm der Kopf schwirrte. Er kam sich vor wie der Detektiv in einem billigen Thriller und wünschte, er könnte zur letzten Seite blättern und dieses ganze Chaos beenden, all den Tod und den Wahnsinn und das Dröhnen in seinen Ohren.

Wieder an seinem Platz in der Einsatzzentrale sammelte er die Berichte über die Anrufe ein, die während seiner Abwesenheit hereingekommen waren. Die Telefonisten arbeiteten auf Hochtouren, und ein Fernschreiber druckte fast ununterbrochen irgendwelche neuen Informationen aus, die andere Polizeistationen im ganzen Land für hilfreich für den Fall hielten und deshalb an sie weitergaben.

Anderson bewegte sich durch den Lärm, als schwimme er in Sirup.

»Was wir brauchen, ist ein Auto, Rebus. Ich möchte die Zeugenaussagen über Männer, die gesehen wurden, wie sie mit einem Kind wegfuhren, in einer Stunde alle zusammen auf meinem Schreibtisch haben. Ich will das Auto von diesem Dreckskerl.«

»Ja, Sir.«

Damit war er wieder fort. Und er watete so tief durch Sirup, dass jeder normale Mensch darin ertrunken wäre. Aber nicht der unzerstörbare Anderson, der keinerlei Sinnesorgan für etwaige Gefahren besaß. Das machte ihn zu einer Belastung, dachte Rebus, während er in den Papierstapeln auf seinem Schreibtisch blätterte, die eigentlich nach irgendeinem System geordnet sein sollten.

Autos. Anderson wollte Autos, also würde er Autos bekommen. Es gab auf die Bibel geschworene Beschreibungen von einem Mann in einem blauen Escort, einem weißen Capri, einem lilafarbigen Mini, einem gelben BMW, einem silbernen TR7, einem umgebauten Krankenwagen, einem Eiswagen (der Anrufer klang italienisch und wollte anonym bleiben) und einem riesigen Rolls Royce mit persönlichem Nummernschild. Ja, lasst uns die doch alle in den Computer geben und sie gegen jeden blauen Escort, weißen Capri und Rolls-Royce in Großbritannien checken. Und wenn wir all diese Informationen vorliegen haben ... was dann? Noch mehr Befragungen von Tür zu Tür, noch mehr Telefonanrufe und Vernehmungen, noch mehr Papierkram und sonstiger Unsinn. Ganz egal, Anderson würde den ganzen Kram locker bewältigen, ohne sich von dem Chaos in seinem Privatleben ablenken zu lassen, und am Ende würde er strahlend sauber und unantastbar dastehen, wie in einer Werbung für Waschpulver. Dreimal hoch.

Hipp, hipp.

Schon bei der Armee hatte es Rebus genervt, wenn er irgendwelchen Schwachsinn treiben musste, und davon hatte es reichlich gegeben. Aber er war ein guter Soldat gewesen, ein sehr guter Soldat, als es schließlich um richtige Aufgaben ging. Und dann hatte er sich in einem Anfall von Wahnsinn für den Special Air Service beworben, und dort hatte es sehr wenig Unsinn gegeben, dafür eine unglaubliche Menge Grausamkeit. Sie hatten ihn gezwungen, vom Bahnhof bis zum Lager hinter einem Sergeant im Jeep herzulaufen. Sie hatten ihn mit vierundzwanzigstündigen Märschen gequält, mit brutalen Ausbildern, mit allem, was überhaupt nur vorstellbar war. Und als Gordon Reeve und er die Prüfung bestanden hatten, hatte der SAS sie noch ein bisschen weiter getestet, ein kleines Stück zu weit, hatte sie eingesperrt, verhört, sie hungern lassen, vergiftet, und das alles nur für einen wertlosen Fetzen Information, für ein paar Worte, die zeigen würden, dass sie zusammengebrochen waren. Zwei nackte, zitternde Tiere, denen man Säcke über den Kopf gebunden hatte, die zusammengekauert dalagen, um sich gegenseitig zu wärmen.

»Ich will diese Liste in einer Stunde, Rebus«, rief Anderson, als er noch einmal an ihm vorbeikam. Er würde seine Liste bekommen. Er würde sein Pfund Fleisch bekommen.

Jack Morton traf wieder ein. Er wirkte fußkrank und alles andere als amüsiert. Mit schlurfenden Schritten kam er auf Rebus zu, einen Packen Papier unter einem Arm, in der anderen Hand eine Zigarette.

»Sieh dir das an«, sagte er und hielt ein Bein hoch. Rebus sah, dass in seiner Hose ein großer Riss klaffte.

»Wie ist das denn passiert?«

»Was meinst du denn? So ein riesiger scheiß Schäferhund hat mich angefallen, das ist passiert. Meinst du, da krieg ich auch nur einen Penny für? Den Teufel werd ich.«

»Du könntest es auf jeden Fall beantragen.«

»Was hätte das denn für einen Sinn? Ich stünde doch nur wie ein Idiot da.«

Morton zog einen Stuhl an den Tisch heran.

»Woran arbeitest du?«, fragte er und ließ sich mit sichtlicher Erleichterung nieder.

»Autos. Viele Autos.«

»Hast du Lust, nachher einen trinken zu gehen?«

Rebus sah nachdenklich auf seine Uhr.

»Vielleicht, Jack. Die Sache ist die, ich wollte mich eventuell heute Abend mit jemand treffen.«

»Mit der umwerfenden Inspector Templer?«

»Woher weißt du das denn?« Rebus war ehrlich überrascht.

»Na hör mal, John. So etwas kann man doch nicht geheim halten – nicht vor Polizisten. Pass lieber auf, was du tust. Du weißt schon, von wegen Vorschriften und so.«

»Ja, ich weiß. Weiß Anderson davon?«

»Hat er was gesagt?«

»Nein.«

»Dann kann er es nicht wissen, oder?«

»Du würdest einen guten Polizisten abgeben, mein Sohn. Du bist für diesen Job hier zu schade.«

»Wenn du meinst, Dad.«

Rebus zündete sich Zigarette Nummer zwölf an. Es war wahr, man konnte in einer Polizeiwache nichts geheim halten, jedenfalls nicht vor den unteren Rängen. Er hoffte jedoch, dass Anderson und der Chief es nicht erfahren würden.

»Irgendwas beim Klinkenputzen rausgekriegt?«, fragte er.

»Was meinst du denn?«

»Morton, du hast die üble Angewohnheit, jede Frage mit einer Gegenfrage zu beantworten.«

»Hab ich? Das muss von dieser Arbeit kommen, wenn man den ganzen Tag rumrennt und Fragen stellt, meinst du nicht?«

Rebus kontrollierte seine Zigarettenschachtel und stellte fest, dass er Nummer dreizehn rauchte. Es wurde langsam lächerlich. Wohin war Nummer zwölf verschwunden?

»Ich sag dir eins, John, da draußen ist nichts zu holen, nicht der Hauch von einem Anhaltspunkt. Niemand hat was gesehen. Niemand weiß was. Es ist fast wie eine Verschwörung.«

»Dann ist es vielleicht auch eine Verschwörung.«

»Und ist es erwiesen, dass alle drei Morde die Tat eines einzelnen Individuums waren?«

»Ja.«

Der Chief Inspector hielt nichts davon, Worte zu verschwenden, besonders nicht der Presse gegenüber. Er saß wie ein Fels hinter dem Tisch, die Hände vor sich gefaltet, Gill Templer zu seiner Rechten. Ihre Brille – eigentlich nur eine Marotte, denn ihr Sehvermögen war ausgezeichnet – war in ihrer Handtasche. Sie trug sie niemals im Dienst, außer wenn der Anlass es erforderte. Warum hatte sie sie auf der Party getragen? Die Brille war für sie so etwas wie Schmuck. Außerdem fand sie es interessant zu testen, wie die Leute reagierten, je nachdem, ob sie die Brille trug oder nicht. Wenn sie das

Freunden erklärte, sahen die sie leicht irritiert an, als ob sie einen Witz machte. Vielleicht war alles auf ihre erste wahre Liebe zurückzuführen, auf den Mann, der ihr erklärt hatte, Mädchen mit Brille würden seiner Erfahrung nach am besten ficken. Das war fünfzehn Jahre her, doch sie sah immer noch den Ausdruck auf seinem Gesicht vor sich, das Lächeln, das Funkeln in seinen Augen. Und sie sah auch ihre eigene Reaktion, das Entsetzen darüber, dass er »ficken« gesagt hatte. Heute konnte sie darüber lächeln. Mittlerweile fluchte sie genauso viel wie ihre männlichen Kollegen, ebenfalls um ihre Reaktionen zu testen. Alles war für Gill Templer ein Spiel, alles bis auf den Job. Sie war nicht durch Glück oder gutes Aussehen Inspector geworden, sondern durch harte, erfolgreiche Arbeit und den Willen, so hoch in der Hierarchie aufzusteigen, wie man sie nur lassen würde. Und nun saß sie neben ihrem Chief Inspector, dessen Anwesenheit bei solchen Veranstaltungen rein symbolisch war. Es war Gill, die die Verlautbarungen herausbrachte, Gill, die den Chief Inspector instruierte, und alle wussten das. Ein Chief Inspector mochte zwar durch seinen Rang dem Ganzen mehr Gewicht geben, doch Gill Templer war diejenige, die den Journalisten ihre »Extras« geben konnte, nützliche Informationsfetzen, die bisher unerwähnt geblieben waren.

Niemand wusste das besser als Jim Stevens. Er saß hinten im Raum und rauchte, ohne die Zigarette ein einziges Mal aus dem Mund zu nehmen. Er hörte dem Chief Inspector kaum zu. Er konnte warten. Dennoch notierte er den einen oder anderen Satz, um ihn später vielleicht doch zu gebrauchen. Schließlich war er immer noch ein Zeitungsmann. Alte Gewohnheiten sterben nie. Der Fotograf, ein eifriger junger Mann, der nervös alle paar Minuten die Objektive gewechselt hatte, war mit seinem vollgeknipsten Film verschwunden. Stevens sah sich um, ob jemand da war, mit dem er hinterher einen trinken gehen könnte. Alle waren sie da. Die alten Hasen von der schottischen Presse und auch die englischen Korrespondenten. Schottisch, englisch, griechisch – es spielte keine Rolle, Presseleute waren einfach unverkennbar. Ihre Gesichter waren grob, sie rauchten, und ihre Hemden waren ein bis zwei Tage alt. Sie sahen nicht aus, als ob sie gut bezahlt würden, dabei wurden sie extrem gut bezahlt, bekamen mehr zusätzliche Leistungen als die meisten. Aber sie mussten für ihr Geld arbeiten, hart arbeiten, um Kontakte aufzubauen, sich irgendwelche Nischen zu suchen und anderen Leuten auf die Zehen zu treten. Er beobachtete Gill Templer. Was wusste sie über John Rebus? Und wäre sie bereit, es ihm zu erzählen? Schließlich waren sie immer noch Freunde, sie und er. Immer noch Freunde.

Vielleicht keine guten Freunde, ganz gewiss keine guten Freunde – obwohl er sich bemüht hatte. Und jetzt sie und Rebus ... Warte nur, bis er den Schweinehund erst mal festgenagelt hatte, *wenn* es was zum Festnageln gab. Natürlich gab es da was. Das spürte er. Dann würden ihr die Augen geöffnet, richtig geöffnet. Dann gäbe es nichts mehr zu deuten. Er bastelte bereits an der Überschrift. Irgendwas mit »Brüder im Leben – Brüder im Verbrechen!« Ja, das hörte sich gut an. Die Rebus-Brüder hinter Gittern, und alles sein Werk. Er wandte seine Aufmerksamkeit wieder dem Mordfall zu. Aber es war viel zu einfach, viel zu einfach, sich hinzusetzen und über die Unfähigkeit der Polizei zu schreiben, über den mutmaßlichen Wahnsinnigen. Dennoch war das im Augenblick sein täglich Brot. Und außerdem konnte er dabei immerhin Gill Templer anstarren.

»Gill!«

Er erwischte sie, als sie gerade ins Auto steigen wollte.

»Hallo, Jim.« Kühl und geschäftsmäßig.

»Hör mal, ich wollte mich für mein Benehmen bei der Party entschuldigen.« Schon nach dem kurzen Sprint über den Parkplatz war er völlig außer Atem und konnte nur mit Mühe sprechen. »Ich war halt ein bisschen besoffen. Tut mir leid.«

Doch Gill kannte ihn zu gut, um nicht zu wissen, dass das nur ein Vorwand für eine Frage oder Bitte war. Plötzlich empfand sie ein bisschen Mitleid für ihn, Mitleid wegen seines dichten blonden Haars, das dringend gewaschen werden musste, wegen seiner gedrungenen Statur, die sie mal für kraftvoll gehalten hatte, wegen seines gelegentlichen Zitterns, als sei ihm kalt. Doch das Mitleid verflog rasch. Es war ein harter Tag gewesen.

»Warum hast du bis jetzt gewartet, um mir das zu sagen? Das hättest du bereits bei der Pressekonferenz am Sonntag tun können.«

Er schüttelte den Kopf.

»Ich hab's nicht zu der Pressekonferenz am Sonntag geschafft. Ich war ein bisschen verkatert. Das hättest du doch merken müssen, dass ich nicht da war?«

»Warum hätte ich das merken sollen? Viele andere waren da, Jim.«

Das traf ihn, aber er sah darüber hinweg.

»Wie dem auch sei«, sagte er, »es tut mir leid. Okay?«

»Klar doch.« Sie machte Anstalten, ins Auto zu steigen.

»Darf ich dich zu einem Drink oder irgendwas einladen? Sozusagen um die Entschuldigung zu begießen.«

»Tut mir leid, Jim. Ich hab schon was vor.«

»Triffst du dich mit diesem Rebus?«

»Vielleicht.«

»Pass auf dich auf, Gill. Dieser Typ könnte nicht ganz so sein, wie er vielleicht scheinen mag.«

Sie richtete sich wieder auf.

»Ich meine«, sagte Stevens, »sei einfach vorsichtig, okay?«

Mehr wollte er vorläufig nicht sagen. Nachdem er einen Samen des Misstrauens gepflanzt hatte, würde er ihm erst mal Zeit geben zu wachsen. Dann würde er sie genau befragen, und vielleicht wäre sie ja bereit, ihm was zu erzählen. Er drehte sich um und ging, die Hände in der Tasche, auf die Sutherland Bar zu.

XIV

In Edinburghs Zentralbibliothek, einem großen, nüchternen alten Gebäude, eingezwängt zwischen einem Buchladen und einer Bank, nahmen die Stadtstreicher ihre üblichen Plätze für das tägliche Nickerchen ein. Sie kamen hierher, als ob Warten ihr Schicksal sei und um die Tage völliger Armut zu überbrücken, bevor die nächste Rate von der Sozialhilfe fällig war. Dieses Geld wurde dann an einem einzigen Festtag (mit Mühe an zwei) auf den Kopf gehauen, für Wein, Weib und Gesang, letzterer vor einem verständnislosen Publikum.

Die Haltung des Bibliothekspersonals diesen Pennern gegenüber reichte von extremer Intoleranz (gewöhnlich bei den älteren Mitarbeitern) bis zu nachdenklichem Bedauern (bei den noch recht jungen Bibliothekarinnen). Es war jedoch eine öffentliche Bibliothek, und solange diese abgeklärten Tippelbrüder sich zu Beginn des Tages ein Buch nahmen, konnte man nichts gegen sie unternehmen, es sei denn, sie fingen an zu randalieren. In dem Fall war rasch ein Sicherheitsmann zur Stelle.

So schliefen sie auf den bequemen Stühlen. Manchmal wurden sie stirnrunzelnd von Leuten betrachtet, die sich fragten, ob Andrew Carnegie so etwas im Sinn gehabt hatte, als er das Geld für die ersten öffentlichen Büchereien zur Verfügung stellte. Den Schläfern machten diese Blicke nichts aus. Sie träumten weiter, auch wenn sich niemand die Mühe machte, sich nach ihren Träumen zu erkundigen oder sie für wichtig hielt.

Zur Kinderbuchabteilung hatten sie jedoch keinen Zutritt. Ja, jeder Erwachsene, der dort herumschmökerte, ohne ein Kind im Schlepptau zu haben, wurde misstrauisch beäugt, besonders seit den Morden an diesen armen kleinen Mädchen. Die Bibliothekare unterhielten sich oft darüber. Hängen war die Lösung, darin waren sich alle einig. Und tatsächlich wurde das Thema Todesstrafe mal wieder im Parlament diskutiert, wie das immer geschieht, wenn ein Massenmörder aus den finsteren Ecken des zivilisierten Britanniens auftaucht. Doch die am häufigsten wiederholte Äußerung unter den Bürgern von Edinburgh hatte nichts mit Hängen zu tun. Eine der Bibliothekarinnen brachte es auf den Punkt: »Aber *hier*, in Edinburgh! Das ist undenkbar!« Massenmörder gehörten in die rußigen engen Straßen des Südens und der Midlands, nicht in Schottlands Bilderbuch-Hauptstadt. Die Zuhörer nickten entsetzt und traurig darüber, dass es sich hier um etwas handelte, dem sich alle stellen mussten, die Ladys in Morningside mit ihrer nicht mehr ganz so glänzenden vornehmen Herkunft, jeder Rowdy, der die Straßen in den Wohnsiedlungen durchstreifte, jeder Anwalt, Banker, Makler, Verkäufer und Zeitungsjunge. Bürgerwehrgruppen waren rasch ins Leben gerufen und genauso rasch von der prompt reagierenden Polizei wieder aufgelöst worden. Das sei nicht die Lösung, sagte der Chief Constable. Die Leute sollten zwar wachsam sein, aber auf keinen Fall das Gesetz selbst in die Hand nehmen. Während er das sagte, rieb er seine eigenen behandschuhten Hände aneinander, und einige Zeitungsleute spekulierten, ob er sich nicht unbewusst bereits die Hände à la Freud in Unschuld wusch. Jim Stevens' Chef entschloss sich zu folgender Schlagzeile: SPERRT EURE TÖCHTER EIN!, und ließ es dabei bewenden.

Die Töchter wurden tatsächlich eingesperrt. Einige Eltern ließen ihre Töchter entweder gar nicht mehr zur Schule gehen oder nur unter starkem Geleitschutz auf dem Hin- und Rückweg, und erkundigten sich dann noch einmal um die Mittagszeit nach ihrem Wohlergehen. In der Kinderbuchabteilung der Zentralbibliothek herrschte in letzter Zeit beinahe Totenstille, sodass die Bibliothekare dort kaum etwas zu tun hatten, außer übers Hängen zu reden und die reißerischen Spekulationen in der britischen Presse zu verschlingen.

Die britische Presse hatte inzwischen ausgebuddelt, dass

Edinburgh alles andere als eine vornehme Vergangenheit hatte. Man erinnerte an Deacon Brodie (der Stevenson angeblich zu seinem *Jekyll & Hyde* inspiriert hatte), an Burke und Hare und was sonst noch bei den Recherchen ans Licht kam, bis hin zu den Geistern, die in auffällig vielen der georgianischen Häuser in der Stadt spukten. Diese Geschichten hielten die Fantasie der Bibliothekare für eine Weile am Leben, während bei der Arbeit Flaute herrschte. Sie vereinbarten, dass jeder eine andere Zeitung kaufte, um so viele Informationen wie möglich zu bekommen, stellten jedoch enttäuscht fest, dass die Journalisten offenbar häufig eine zentrale Geschichte untereinander tauschten, sodass der gleiche Artikel in zwei oder drei verschiedenen Zeitungen erschien. Es war, als ob eine Verschwörung unter den Schreibern im Gange war.

Einige Kinder kamen allerdings immer noch in die Bibliothek. Die weitaus meisten wurden von Mutter, Vater oder einem Aufpasser begleitet, aber ein oder zwei kamen immer noch alleine. Dieser Beweis für den Leichtsinn mancher Eltern und ihrer Sprösslinge beunruhigte die weichherzigen Bibliothekare, die die Kinder jedes Mal erschrocken fragten, wo denn ihre Eltern wären.

Samantha ging nur selten in die Kinderabteilung, weil sie richtige Bücher bevorzugte, aber heute tat sie es, um von ihrer Mutter fortzukommen. Ein Bibliothekar kam zu ihr, als sie gerade in einem schwachsinnigen Kleinkinderbuch blätterte.

»Bist du alleine hier?«, fragte er.

Samantha kannte ihn. Er arbeitete schon so lange hier, wie sie denken konnte.

»Meine Mutter ist oben«, sagte sie.

»Da bin ich aber froh. Bleib in ihrer Nähe, rat ich dir.«

Innerlich kochend nickte sie. Ihre Mutter hatte ihr erst vor fünf Minuten eine ähnliche Predigt gehalten. Sie war kein Kind mehr, aber das schien niemand akzeptieren zu wollen. Als der Bibliothekar zu einem anderen Mädchen ging, nahm Samantha das Buch, das sie ausleihen wollte, aus dem Regal und gab ihren Ausweis der alten Bibliothekarin mit den gefärbten Haaren, die die Kinder mit Mrs. Slocum anredeten. Dann lief sie die Treppe hinauf zum Lesesaal der Bibliothek, wo ihre Mutter nach einem wissenschaftlichen Werk über George Eliot suchte. George Eliot, hatte ihre Mutter ihr erklärt, war eine Frau, die Bücher von ungeheuer starkem Realismus und psychologischer Tiefe geschrieben hatte, zu einer Zeit, in der man die Männer für die großen Realisten und Psychologen hielt und die Frauen angeblich zu nichts anderem taugten als zur Hausarbeit. Deshalb war sie gezwungen gewesen, sich »George« zu nennen, um veröffentlicht zu werden.

Um sich diesen Indoktrinierungsversuchen zu widersetzen, hatte Samantha aus der Kinderabteilung ein Buch mit Bildern über einen Jungen mitgebracht, der auf einer riesigen Katze davonfliegt und in einem fantastischen Land Abenteuer erlebt, von denen er sich nie hätte träumen lassen. Sie hoffte, dass ihre Mutter sich so richtig schön darüber aufregen würde. Im Lesesaal saßen viele Leute an Tischen und husteten. Ihr Husten hallte in dem stillen Raum wider. Mit der Brille vorne auf der Nase sah ihre Mutter wie eine typische Lehrerin aus. Sie stritt sich gerade mit einer Bibliothekarin wegen eines Buchs, das sie bestellt hatte. Samantha ging zwischen den Tischreihen hindurch und warf einen Blick darauf, was die Leute lasen und schrieben. Sie fragte sich, warum Leute so viel Zeit mit Bücherlesen verbrachten, wo man doch so viele andere Dinge tun konnte. Sie wollte um die Welt reisen. Vielleicht wäre sie dann hinterher bereit, in langweiligen Räumen über alten Büchern zu brüten. Aber bis dahin jedenfalls nicht.

Er beobachtete sie, wie sie zwischen den Tischreihen auf und ab ging. Er stand da, das Gesicht ihr halb zugewandt, und tat so, als würde er ein Regal mit Büchern über Angelsport betrachten. Sie schaute sich allerdings nicht um. Es bestand keine Gefahr. Sie war in ihrer eigenen kleinen Welt, einer Welt, die sie nach ihren eigenen Regeln geschaffen hatte. Das war gut. Alle Mädchen waren so. Aber dieses hier war mit jemandem da. Das war ihm sofort klar. Er nahm ein Buch aus dem Regal und blätterte darin. Ein Kapitel fiel ihm ins Auge und lenkte seine Gedanken von Samantha ab. Das Kapitel handelte von Knoten beim Fliegenfischen. Es gab viele Arten von Knoten. Sehr viele.

XV

Schon wieder eine Einsatzbesprechung. Zurzeit machten diese Besprechungen Rebus allerdings regelrecht Spaß, denn es bestand immer die Möglichkeit, dass Gill da sein würde und dass sie hinterher zusammen einen Kaffee trinken könnten. Gestern Abend hatten sie ziemlich spät in einem Restaurant gegessen, doch Gill war müde gewesen und hatte ihn merkwürdig angesehen. Ihre Augen hatten ihn noch forschender gemustert als sonst. Zunächst hatte sie keine Brille getragen, sie dann aber mitten im Essen aufgesetzt.

»Ich will schließlich sehen, was ich esse.«

Doch er wusste, dass sie gut sehen konnte. Die Brille trug sie nur aus psychologischen Gründen. Sie schützte sie. Vielleicht bildete er sich das aber auch alles nur ein. Vielleicht war sie wirklich bloß müde gewesen. Aber er vermutete, dass mehr dahinter steckte, er konnte sich bloß nicht vorstellen, was. Hatte er sie irgendwie beleidigt? Sie vor den Kopf gestoßen, ohne dass es ihm bewusst war? Er war selber müde gewesen. Jeder war zu seiner eigenen Wohnung gegangen und hatte wach gelegen, wollte nicht allein sein. Dann träumte er den Traum von dem Kuss und wachte mit dem üblichen Ergebnis auf. Schweiß stand ihm auf der Stirn, seine Lippen waren feucht. Würde er nach dem Aufwachen einen weiteren Brief vorfinden? Einen weiteren Mord?

Jetzt fühlte er sich saumäßig, weil er zu wenig geschlafen

hatte. Trotzdem genoss er die Einsatzbesprechung, und das nicht nur wegen Gill. Endlich gab es einen Hauch von einem Anhaltspunkt, und den wollte Anderson unbedingt erhärtet sehen.

»Ein hellblauer Ford Escort«, sagte Anderson. Hinter ihm saß der Chief Superintendent, was den Chief Inspector nervös zu machen schien. »Ein hellblauer Ford Escort.« Anderson wischte sich die Stirn. »Wir haben Aussagen, nach denen solch ein Fahrzeug im Stadtteil Haymarket gesehen wurde an dem Abend, an dem die Leiche von Opfer Nummer eins gefunden wurde. Außerdem haben zwei Zeugen einen Mann und ein Mädchen, das Mädchen offenbar schlafend, in einem solchen Auto gesehen, und zwar an dem Abend, an dem Opfer Nummer drei verschwand.« Anderson hob den Blick von dem Dokument vor ihm, um, wie es schien, jedem der anwesenden Beamten einzeln in die Augen zu sehen. »Ich will, dass dieser Sache oberste Priorität eingeräumt wird, verstanden? Ich will sämtliche Details über die Besitzer jedes blauen Ford Escort im Bereich Lothian wissen, und ich will diese Informationen *früher* als möglich. Ich weiß, dass Sie alle eh schon auf Hochtouren an dem Fall arbeiten, aber mit noch einem kleinen bisschen Anstrengung mehr können wir den Knaben schnappen, bevor er weitere Morde begeht. Zu diesem Zweck hat Inspector Hartley einen neuen Einsatzplan erstellt. Wenn Ihr Name drauf steht, lassen Sie alles stehen und liegen, was Sie zurzeit tun, und machen Sie sich auf die Suche nach dem Auto. Noch Fragen?«

Gill Templer machte sich auf ihrem winzigen Block hastig Notizen. Vielleicht bastelte sie eine Geschichte für die Presse zusammen. Würden sie das mit dem Auto bekannt geben? Vermutlich nicht, jedenfalls nicht sofort. Sie würden erst mal abwarten, ob bei der Suche etwas herauskam. Wenn nicht, würde man die Öffentlichkeit um Hilfe bitten. Rebus gefiel das alles gar nicht, die Daten der Besitzer heraussuchen, in die Vororte reisen und Massen von Verdächtigen vernehmen, zu erschnüffeln versuchen, ob sie mögliche oder wahrscheinliche Verdächtige waren, dann vielleicht eine weitere Vernehmung. Nein, dazu hatte er überhaupt keine Lust. Er hatte Lust, mit Gill Templer zurück in seine Höhle zu gehen und mit ihr zu schlafen. Von seinem Platz in der Nähe der Tür konnte er nur ihren Rücken sehen. Er war schon wieder als Letzter in den Raum gekommen, da er ein bisschen länger als vorgesehen im Pub geblieben war. Es hatte sich um eine bereits bestehende Verabredung zum Mittagessen (in flüssiger Form) mit Jack Morton gehandelt. Morton erzählte ihm von dem langsamen, aber stetigen Fortgang der Ermittlungen draußen. Vierhundert Leute waren vernommen, ganze Familien mehrfach überprüft worden. Außerdem hatte man die üblichen Verrückten und die perversen Kreise unter die Lupe genommen. Und das alles hatte nicht das geringste Licht auf den Fall geworfen.

Aber jetzt hatten sie ein Auto, oder glaubten zumindest eins zu haben. Der Beweis war zwar nur schwach, aber er war da, hatte den Anschein einer Tatsache, und das war schon was. Rebus war ein bisschen stolz auf seinen eigenen Anteil an den Ermittlungen, denn durch seinen sorgfältigen Vergleich der Aussagen von Zeugen, die eins der Opfer gesehen hatten, waren sie auf diese schwache Verbindung gekommen. Er wollte Gill davon erzählen und sich dann für irgendwann im Laufe der Woche mit ihr verabreden. Er wollte sie sehen, wollte überhaupt irgendwen sehen, denn seine Wohnung wurde allmählich zu einer Gefängniszelle. Er schlurfte spät in der Nacht oder am frühen Morgen nach Hause, fiel ins Bett und schlief. Im Augenblick machte er sich nicht einmal mehr die Mühe, aufzuräumen, zu lesen oder was zu essen zu kaufen (oder gar zu stehlen). Er hatte weder die Zeit noch die Energie dazu. Stattdessen ernährte er sich in Kebab-Läden, Frittenbuden, Bäckereien für Frühaufsteher und aus Süßwarenautomaten. Sein Gesicht war noch blasser als gewöhnlich, und sein Bauch ächzte, als wäre keine Haut mehr da, um sich weiter auszudehnen. Um den Anstand zu wahren, rasierte er sich immer noch und trug eine Krawatte, aber das war schon so ziemlich alles. Anderson war aufgefallen, dass seine Hemden nicht allzu sauber waren, bisher hatte er jedoch nichts gesagt. Zum einen, weil Rebus als Entdecker des Anhaltspunkts gerade gut bei ihm angeschrieben war, zum anderen, weil für jeden offensichtlich war, dass Rebus in seiner augenblicklichen Stimmung jedem, der es wagte, ihn zu kritisieren, eine verpassen würde.

Die Versammlung löste sich langsam auf. Niemandem fiel mehr eine Frage ein, bis auf die offenkundige: wann fangen wir an durchzudrehen? Rebus lungerte vor der Tür herum und wartete auf Gill. Sie kam mit der letzten Gruppe heraus, in ruhigem Gespräch mit Wallace und Anderson. Der Superintendent hatte neckisch einen Arm um ihre Taille gelegt und komplimentierte sie sachte aus dem Raum. Rebus starrte die Gruppe wütend an, diesen bunt gemischten Haufen höherer Beamter. Er beobachtete Gills Gesichtsausdruck, aber sie schien ihn nicht zu bemerken. Rebus spürte, wie ihm seine Felle fortschwammen, wie er wieder tief nach unten rutschte, dorthin, wo er angefangen hatte. Das war also Liebe. Wer machte hier wem was vor?

Als die drei den Flur hinuntergingen, blieb Rebus wie ein verschmähter Teenager zurück und fluchte und fluchte und fluchte.

Man hatte ihn mal wieder im Stich gelassen. Im Stich gelassen.

Lass mich nicht im Stich, John. Bitte.

Bitte Bitte Bitte

Und ein Schreien in seiner Erinnerung ...

Er fühlte sich schwindlig, seine Ohren rauschten wie das Meer. Er taumelte ein wenig und hielt sich an der Wand fest, versuchte in ihrer Festigkeit Trost zu finden, doch sie schien zu vibrieren. Er atmete angestrengt und dachte an die Tage zurück, die er an dem steinigen Strand verbracht hatte, als er sich von seinem Nervenzusammenbruch erholte. Auch da hatte das Meer in seinen Ohren gerauscht. Allmählich kam der Boden unter seinen Füßen wieder zur Ruhe. Leute gingen mit fragenden Blicken an ihm vorbei, aber niemand blieb stehen, um ihm zu helfen. Die konnten ihn alle mal. Gill Templer ebenfalls. Er kam allein klar. Er kam weiß Gott alleine klar. Es würde alles wieder gut. Alles, was er brauchte, war eine Zigarette und ein Kaffee.

Doch was er wirklich brauchte war, dass sie ihm auf die Schulter klopften, ihm gratulierten, dass er gute Arbeit geleistet hatte, ihn akzeptierten. Er brauchte jemanden, der ihm versicherte, dass alles wieder gut würde.

Es würde alles wieder gut.

An diesem Abend – ein paar Feierabend-Drinks hatte er bereits im Bauch – beschloss er, die Nacht durchzumachen. Morton hatte was zu erledigen, aber das war auch okay. Rebus brauchte keine Gesellschaft. Er ging die Princes Street entlang und atmete die verheißungsvolle Abendluft ein. Schließlich war er ein freier Mann, genauso frei wie die Kids, die vor dem Hamburger-Lokal herumhingen. Sie spielten sich auf, scherzten und warteten – warteten worauf? Er wusste es. Sie warteten darauf, dass es Zeit wurde und sie nach Hause gehen und in den nächsten Tag schlafen konnten. Auf seine Art wartete er auch. Schlug Zeit tot.

Im Rutherford Arms traf er ein paar Trinker, die er von den Abenden kannte, kurz nachdem Rhona ihn verlassen hatte. Er trank eine Stunde lang mit ihnen, saugte das Bier in sich hinein, als wäre es Muttermilch. Sie redeten über Fußball, über Pferderennen und über ihre Jobs, und das hatte eine beruhigende Wirkung auf Rebus. Das war eine ganz normale Abendunterhaltung; er tauchte gierig darin ein und steuerte selbst einige unbedeutende Neuigkeiten bei. Aber was zu viel ist, ist zu viel, und so verließ er forschen Schrittes und betrunken die Bar, nachdem er seine Freunde auf ein andermal vertröstet hatte, und schlenderte die Straße hinunter Richtung Leith.

Jim Stevens saß an der Bar und beobachtete, wie Michael Rebus seinen Drink auf dem Tisch stehen ließ und zur Toilette ging. Wenige Sekunden später folgte ihm der geheimnisvolle Unbekannte, der an einem anderen Tisch gesessen hatte. Es sah aus, als wollten sie die nächste Übergabe besprechen, denn beide machten einen zu entspannten Eindruck, um etwas Belastendes bei sich zu haben. Stevens rauchte seine Zigarette und wartete ab. In weniger als einer Minute tauchte Rebus wieder auf und ging zur Bar, um sich noch etwas zu trinken zu holen.

Als John Rebus sich durch die Pendeltür des Pubs schob, glaubte er seinen Augen nicht zu trauen. Er schlug seinem Bruder auf die Schulter.

»Mickey! Was machst du denn hier?«

Michael Rebus starb fast vor Schreck. Ihm schlug das Herz bis zum Hals, und er musste husten.

»Na, halt einen trinken, John.« Aber er wusste, dass man ihm sein schlechtes Gewissen an der Nasenspitze ansah. »Du hast mich vielleicht erschreckt«, fuhr er fort und versuchte zu lächeln, »mir einfach so auf die Schulter zu hauen.«

»War doch nur ein brüderlicher Klaps. Was möchtest du trinken?«

Während die beiden Brüder sich unterhielten, schlüpfte der Mann aus der Toilette und verließ die Bar, ohne nach rechts oder links zu sehen. Stevens bemerkte seinen Abgang, aber er hatte jetzt andere Sorgen. Der Polizist durfte ihn auf keinen Fall sehen. Er drehte den Kopf nach hinten, als ob er an den Tischen jemanden suchte. Jetzt war er sich sicher. Der Polizist musste in der Sache mit drinstecken. Das Ganze war sehr gewieft eingefädelt, aber jetzt war er sich sicher.

»Du trittst also gleich hier in der Gegend auf?« John Rebus, der schon von seinen vorherigen Drinks angeheitert war, hatte das Gefühl, dass die Dinge seit langem mal wieder gut liefen. Endlich war er mit seinem Bruder auf den Drink zusammen, den sie sich immer wieder versprochen hatten. Er bestellte Whisky und dazu zwei Lager. »Hier schenken sie den Schnaps fast ein halbes Glas voll aus«, erklärte er Michael. »Das ist ganz ordentlich.«

Michael lächelte und lächelte und lächelte, als hinge sein Leben davon ab. Seine Gedanken rasten und überschlugen sich. Das Letzte, was er jetzt brauchte, war ein weiterer Drink. Wenn das hier bekannt würde, würde es seinem Edinburgher Kontaktmann äußerst unwahrscheinlich vorkommen, viel zu unwahrscheinlich. Man würde ihm, Michael, dafür die Beine brechen, wenn das je rauskam. Er war gewarnt worden. Und was hatte John hier überhaupt zu suchen? Er wirkte ganz gelöst, ja sogar betrunken, aber wenn das nun eine Falle war? Wenn man seinen Kontaktmann bereits vor der Tür verhaftet hatte? Er kam sich so vor wie als Kind, wenn er Geld aus der Brieftasche seines Vaters gestohlen und es hinterher wochenlang abgestritten hatte, sein Herz mit Schuld beladen.

Schuldig, schuldig, schuldig.

Währenddessen trank John Rebus immer weiter und plauderte, ohne den plötzlichen Stimmungsumschwung zu bemerken, das plötzliche Interesse an ihm. Ihn interessierte nur der Whisky, der vor ihm stand, und die Tatsache, dass Michael gleich in einer Bingo-Halle ganz in der Nähe auftreten würde.

»Hast du was dagegen, wenn ich mitkomme?«, fragte er. »Dann seh ich endlich mal, wie mein Bruder seine Brötchen verdient.«

»Natürlich kannst du mitkommen«, sagte Michael. Er spielte mit seinem Whiskyglas. »Das sollte ich besser nicht trinken, John. Ich muss einen klaren Kopf behalten.«

»Aber sicher. Schließlich musst du ja für die geheimnisvollen Kräfte empfänglich sein.« Rebus bewegte die Hände, als ob er Michael hypnotisieren wollte, die Augen weit aufgerissen, lächelnd.

Und Jim Stevens nahm seine Zigaretten und verließ, immer noch mit dem Rücken zu beiden, das verräucherte, laute Pub. Wenn es da drinnen doch nur ruhiger gewesen wäre. Wenn er doch nur hätte hören können, worüber die beiden sprachen. Rebus sah ihn hinausgehen.

»Ich glaub, den kenne ich«, erklärte er Michael und deutete mit dem Kopf auf die Tür. »Der ist Reporter beim lokalen Käseblatt.«

Michael Rebus versuchte zu lächeln, lächeln, lächeln, aber er hatte das Gefühl, dass seine Welt auseinander fiel.

Die Rio Grande Bingo Hall war früher mal ein Kino gewesen. Die vorderen zwölf Sitzreihen hatte man herausgerissen und durch Bingo-Tische und Hocker ersetzt, aber im hinteren Teil des Raumes gab es immer noch zahlreiche Reihen verstaubter roter Sessel, und auf den Rängen war die Bestuhlung noch völlig intakt. John Rebus sagte, er würde lieber oben sitzen, um Michael nicht abzulenken. Er folgte einem älteren Mann und seiner Frau die Treppe hinauf. Die Sitze sahen bequem aus, aber als er sich vorsichtig in der zweiten Reihe niederließ, spürte John Rebus, wie die Sprungfedern in seinen Hintern stachen. Er rutschte ein bisschen hin und her, um die bequemste Position zu finden, und entschied sich schließlich für eine Stellung, bei der eine Hinterbacke den größten Teil seines Gewichts trug.

Unten schien ein ganz ansehnliches Publikum zu sein, doch hier oben auf dem düsteren, heruntergekommenen Rang war er mit dem alten Ehepaar allein. Dann hörte er auf dem Gang Schritte klappern. Sie hielten eine Sekunde lang inne, dann schob sich eine dralle Frau in die zweite Reihe. Rebus war gezwungen aufzublicken und sah, dass sie ihn anlächelte.

»Was dagegen, wenn ich mich hier hinsetze?«, fragte sie. »Oder warten Sie auf jemand?«

Ihr Blick war voller Hoffnung. Rebus schüttelte höflich lächelnd den Kopf. »Dachte ich mir doch«, sagte sie und setzte sich neben ihn. Und er lächelte. Er hatte Michael noch nie so viel oder so unbehaglich lächeln gesehen. War es denn so peinlich für ihn, seinen älteren Bruder zu treffen? Nein, da musste mehr dahinterstecken. Michael hatte gelächelt wie ein kleiner Dieb, der schon wieder erwischt worden war. Sie mussten miteinander reden.

»Ich komme oft hierher zum Bingo und dachte, heute wär's vielleicht ganz lustig. Seit mein Mann tot ist«, bedeutungsvolle Pause, »ist es halt nicht mehr so wie früher. Ich geh eben ganz gern ab und zu aus, verstehen Sie. Das tun doch schließlich alle, oder etwa nicht? Also dachte ich, das guck ich mir mal an. Weiß nicht, was mich veranlasst hat, nach oben zu gehen. Schicksal vermutlich.« Ihr Lächeln wurde breiter. Rebus lächelte zurück.

Sie war Anfang vierzig, ein bisschen viel Make-up und zuviel Parfüm, aber ganz gut erhalten. Sie redete, als hätte sie seit Tagen mit niemandem gesprochen, als müsste sie sich unbedingt beweisen, dass sie noch sprechen konnte und man ihr zuhörte und sie verstand. Sie tat Rebus leid. Er sah in ihr ein wenig von sich selbst; nicht viel, aber es reichte.

»Und was treibt Sie hierher?« Sie zwang ihn zu sprechen.

»Ich bin wegen der Show hier, genau wie Sie.« Er wagte nicht zu sagen, dass der Hypnotiseur sein Bruder war. Das hätte ihr zu viele Möglichkeiten gegeben, um weiterzufragen.

»Mögen Sie solche Sachen?«

»Ich hab so was noch nie gesehen.«

»Ich auch nicht.« Sie lächelte wieder, diesmal verschwörerisch. Sie hatte festgestellt, dass sie etwas gemeinsam hatten. Dankenswerterweise gingen nun die Lichter aus – jedenfalls das bisschen, was an Licht da war – und ein Spotlicht erhellte die Bühne. Ein Ansager kündigte die Show an. Die Frau öffnete ihre Handtasche und nahm unter viel Geraschel eine Tüte mit Bonbons heraus. Sie bot Rebus eines an.

Überrascht stellte Rebus fest, dass er die Show genoss, wenn auch bei weitem nicht so sehr wie die Frau neben ihm. Sie brüllte vor Lachen, als ein freiwilliges Opfer, das seine Hose auf der Bühne gelassen hatte, so tat, als schwömme es den Gang auf und ab. Einem weiteren Versuchskaninchen wurde suggeriert, es sei völlig ausgehungert. Einer Frau, sie sei eine Stripteasetänzerin bei einem ihrer Auftritte. Einem Mann, er würde gerade einschlafen.

Obwohl ihm die Vorführung immer noch Spaß machte, begann Rebus selbst einzunicken. Das war die Wirkung von zu viel Alkohol, zu wenig Schlaf und der brütend warmen Luft in dem Theater. Erst der Schlussapplaus weckte ihn. Michael, der in seinem glitzernden Bühnenanzug schwitzte, nahm den Applaus entgegen, als wäre er süchtig danach. Er kam zurück, um sich noch einmal zu verbeugen, als die meisten Leute bereits ihre Plätze verließen. Er hatte seinem Bruder gesagt, er müsste sofort nach Hause, sie würden sich nach der Show nicht mehr sehen, aber er würde irgendwann anrufen, um zu fragen, wie es ihm gefallen hatte.

Und John Rebus hatte den größten Teil verschlafen.

Er fühlte sich jedoch erfrischt und hörte, wie er die Aufforderung der parfümierten Frau annahm, noch einen »für unterwegs« in einer nahe gelegenen Kneipe zu trinken. Sie verließen das Theater Arm in Arm, über irgendetwas lächelnd. Rebus fühlte sich entspannt, fast wie ein Kind. Die Frau behandelte ihn wie ihren Sohn, und er ließ sich ihre Hätscheleien gerne gefallen. Ein letzter Drink, dann würde er nach Hause gehen. Nur noch ein Drink.

Jim Stevens beobachtete, wie sie das Theater verließen. Das wurde ja immer merkwürdiger. Rebus schien sich jetzt überhaupt nicht mehr um seinen Bruder zu kümmern, und er hatte eine Frau dabei. Was hatte das alles zu bedeuten? Auf jeden Fall würde er es Gill in einem passenden Moment stecken können. Stevens reihte es lächelnd in seine Sammlung derartiger Momente ein. Bisher hatte sich der Abend gelohnt.

Wann war an dem Abend Mutterliebe in Sex umgeschlagen? In dem Pub vielleicht, wo ihre geröteten Finger ihn in den

Oberschenkel gekniffen hatten? Draußen in der kühlen Luft, als er seine Arme um ihren Hals gelegt und unbeholfen versucht hatte, sie zu küssen? Oder in ihrer muffigen Wohnung, die immer noch nach ihrem Mann riecht, wo Rebus und sie jetzt auf einem alten Sofa liegen und sich gegenseitig die Zunge in den Hals schieben?

Egal. Es ist zu spät, etwas zu bedauern, oder zu früh. Also schlurft er hinter ihr her, als sie sich ins Schlafzimmer zurückzieht. Er fällt taumelnd auf das riesige Doppelbett, das weich gefedert ist und auf dem dicke Plumeaus und eine Steppdecke liegen. Er beobachtet, wie sie sich im Dunkeln auszieht. Das Bett fühlt sich an wie eins, das er als Kind gehabt hatte, als eine Wärmflasche alles war, was er hatte, um die Kälte abzuwehren, dazu einen Haufen kratziger Decken und ein aufgeplustertes Federbett. Schwer und erstickend und furchtbar müde machend.

Egal.

Rebus fand die Einzelheiten ihres schweren Körpers wenig erfreulich und war deshalb gezwungen, sich alles abstrakt vorzustellen. Seine Hände auf ihren schlaffen Brüsten erinnerten ihn an lange Nächte mit Rhona. Ihre Waden waren dick, im Gegensatz zu Gills, und ihr Gesicht zu sehr vom Leben gezeichnet. Aber sie war eine Frau, und sie war bei ihm, also zwängte er sie in eine abstrakte Form und versuchte, sie beide glücklich zu machen. Doch das schwere Bettzeug bedrückte ihn, engte ihn ein, gab ihm das Gefühl, klein und eingesperrt und von der ganzen Welt isoliert zu sein. Er kämpfte dagegen an, kämpfte gegen die Erinnerung, wie Gordon Reeve und er in Einzelhaft gesessen und auf die Schreie um sie herum gelauscht hatten. Aber sie hatten ausgeharrt, immer weiter ausgeharrt und waren schließlich wieder zusammengelegt worden. Hatten gewonnen. Hatten verloren. Hatten alles verloren. Sein Herz hämmerte im Takt mit ihrem Ächzen, das jetzt ein ganzes Stück entfernt schien. Er spürte, wie ihn die erste Woge absoluten Widerwillens wie ein Knüppel in den Magen traf, und seine Hände legten sich um den schlaffen, nachgiebigen Hals unter ihm. Das Stöhnen klang jetzt unmenschlich, katzenartig, schrill. Seine Hände drückten ein wenig, die Finger fanden an Haut und Bettlaken Halt. Sie sperrten ihn ein und warfen den Schlüssel weg. Sie trieben ihn in den Tod, und sie vergifteten ihn. Er sollte nicht am Leben sein. Er hätte damals sterben sollen, in jenen stinkenden unmenschlichen Zellen mit ihren Feuerwehrschläuchen und den ständigen Verhören. Aber er hatte überlebt. Er hatte überlebt. Und er kam.

Er allein, ganz allein
Und das Schreien
Schreien

Rebus nahm das gurgelnde Geräusch unter ihm wahr, kurz bevor in seinem Kopf eine Sicherung durchbrannte. Er plumpste auf die röchelnde Gestalt und verlor das Bewusstsein. Es war, als hätte jemand einen Schalter umgelegt.

XVI

Er wachte in einem weißen Zimmer auf. Es erinnerte ihn sehr an das Krankenhauszimmer, in dem er vor vielen Jahren nach seinem Nervenzusammenbruch aufgewacht war. Von draußen waren gedämpfte Geräusche zu hören. Als er sich aufrichtete, fing sein Kopf an zu dröhnen. Was war passiert? Mein Gott, diese Frau, diese arme Frau. Er hatte versucht, sie umzubringen! Er hatte viel zu viel getrunken. Gütiger Gott, er hatte versucht, sie zu erwürgen. Warum um Himmels willen hatte er das getan? Warum?

Ein Arzt öffnete die Tür.

»Ah, Mister Rebus. Gut, dass Sie wach sind. Wir wollten Sie nämlich in einen der Krankensäle verlegen. Wie fühlen Sie sich?«

Sein Puls wurde gemessen.

»Wir glauben, dass es sich einfach um Erschöpfung handelt. Eine einfache nervöse Erschöpfung. Ihre Bekannte, die den Krankenwagen gerufen ...«

»Meine Bekannte?«

»Ja, sie sagte, Sie wären plötzlich zusammengebrochen. Und von Ihrer Dienststelle haben wir erfahren, dass Sie ziemlich hart an diesen furchtbaren Mordfällen gearbeitet haben. Sie sind einfach erschöpft. Sie brauchen etwas Ruhe.«

»Wo ist meine ... meine Bekannte?«

»Keine Ahnung. Zu Hause, nehme ich an.«

»Und sie hat gesagt, ich wäre einfach zusammengebrochen?«

»Das ist richtig.«

Rebus spürte, wie ihn Erleichterung durchströmte. Sie hatte es ihnen nicht erzählt. Sie hatte es ihnen nicht erzählt. Dann begann sein Kopf wieder zu dröhnen. Die Handgelenke des Arztes waren behaart und frisch geschrubbt. Lächelnd schob er Rebus ein Thermometer in den Mund. Wusste er, was Rebus gemacht hatte, bevor er ohnmächtig geworden war? Oder hatte seine Bekannte ihn angezogen, bevor sie den Krankenwagen rief? Er musste sich bei der Frau melden. Er wusste nicht genau, wo sie wohnte, aber die Sanitäter mussten es wissen, und er konnte sich erkundigen.

Erschöpfung. Rebus fühlte sich nicht erschöpft. Er fühlte sich sogar halbwegs ausgeruht, und auch wenn er ein bisschen nervös war, machte er sich über nichts so richtig Sorgen. Hatten die ihm irgendwas gegeben, während er schlief?

»Könnte ich eine Zeitung haben?« murmelte er mit dem Thermometer im Mund.

»Ich lass Ihnen von einem Pfleger eine holen. Sollen wir irgendjemanden verständigen? Jemand aus der Familie oder Freunde?«

Rebus dachte an Michael.

»Nein«, sagte er. »Sie brauchen niemanden zu verständigen. Ich möchte nur eine Zeitung.«

»Na schön.« Das Thermometer wurde entfernt und die Werte aufgeschrieben.

»Wie lange wollen Sie mich hierbehalten?«

»Zwei oder drei Tage. Ich werde Sie vielleicht bitten, mit einem Psychologen zu reden.«

»Vergessen Sie das mit dem Psychologen. Ich brauch was zu lesen, ein paar Bücher.«

»Mal sehen, was wir tun können.«

Darauf lehnte Rebus sich gemütlich zurück und beschloss, den Dingen ihren Lauf zu lassen. Er würde hier liegen und sich ausruhen, obwohl er gar keine Ruhe brauchte. Sollten die anderen sich doch mit dem Mordfall rumschlagen. Zum Teufel mit ihnen. Zum Teufel mit Anderson. Mit Wallace. Mit Gill Templer.

Aber dann erinnerte er sich, wie sich seine Hände um diesen alternden Hals gelegt hatten, und er fing an zu zittern. Es war, als ob sein Verstand nicht ihm gehörte. Hatte er diese Frau töten wollen? Sollte er vielleicht doch mit dem Psychologen reden? Diese Fragen machten seine Kopfschmerzen nur noch schlimmer. Er versuchte, an gar nichts zu denken, doch drei Schatten ließen ihm keine Ruhe: sein alter Freund Gordon Reeve, seine neue Freundin Gill Templer und die Frau, mit der er sie betrogen und die er fast erwürgt hatte. Sie tanzten in seinem Kopf herum, bis der Tanz ganz undeutlich wurde. Dann schlief er ein.

»John!«

Sie kam rasch auf sein Bett zu, Obst und Vitaminsaft in der Hand. Sie hatte Make-up aufgelegt und trug eindeutig außerdienstliche Kleidung. Als sie ihn auf die Wange küsste, roch er ihr französisches Parfüm. Er konnte außerdem in den Ausschnitt ihrer Seidenbluse gucken. Er empfand ein leichtes Schuldgefühl dabei.

»Hallo, D. I. Templer«, sagte er. »Hier«, er hob die Bettdecke auf einer Seite hoch, »komm rein.«

Sie lachte und zog sich einen unbequem aussehenden Stuhl heran. Weitere Besucher betraten den Krankensaal. Ihr Lächeln und ihre leisen Stimmen gemahnten an Krankheit, eine Krankheit, von der Rebus nichts spürte.

»Wie geht's dir, John?«

»Furchtbar. Was hast du mir mitgebracht?«

»Trauben, Bananen und Orangensaft. Nichts sehr Originelles, fürchte ich.«

Rebus pflückte eine Traube ab und steckte sie in den Mund. Dann legte er den Kitschroman beiseite, mit dem er sich gerade herumgequält hatte.

»Ich weiß nicht, Inspector, was ich noch alles anstellen muss, damit wir uns endlich mal treffen.« Rebus schüttelte matt den Kopf. Gill lächelte, wenn auch ein wenig nervös.

»Wir haben uns Sorgen um dich gemacht, John. Was ist passiert?«

»Ich bin ohnmächtig geworden. Bei einem Freund. Es ist nichts Schlimmes. Ich hab noch ein paar Wochen zu leben.«

Diesmal schenkte Gill ihm ein warmes Lächeln.

»Die sagen, du seist überarbeitet.« Sie hielt inne. »Was soll überhaupt dieser 'Inspector'-Quatsch?«

Rebus zuckte die Achseln, dann setzte er eine beleidigte Miene auf. Sein schlechtes Gewissen vermischte sich mit der Erinnerung an die Abfuhr, die sie ihm erteilt hatte und die die ganze Geschichte erst ins Rollen gebracht hatte. Er verwandelte sich wieder in einen Patienten, der sich schwach in seine Kissen sinken ließ.

»Ich bin ein sehr kranker Mann, Gill. Zu krank, um Fragen zu beantworten.«

»In dem Fall sollte ich dir wohl besser nicht die Zigaretten zustecken, die mir Jack Morton für dich mitgegeben hat.«

Rebus richtete sich wieder auf.

»Ein guter Mann. Wo sind sie?«

Sie nahm zwei Päckchen aus ihrer Jackentasche und schob sie unter die Bettdecke. Er griff nach ihrer Hand.

»Ich hab dich vermisst, Gill.« Sie lächelte und zog die Hand nicht weg.

Unbegrenzte Besuchszeit war ein Vorrecht der Polizei. Gill blieb zwei Stunden, redete über ihre Vergangenheit und fragte ihn nach seiner. Sie war auf einem Luftwaffenstützpunkt in Wiltshire geboren, gleich nach dem Krieg. Ihr Vater war Ingenieur bei der Royal Air Force gewesen.

»Mein Vater«, sagte Rebus, »war während des Kriegs bei der Armee. Ich wurde bei einem seiner letzten Urlaube gezeugt. Er war von Beruf Bühnenhypnotiseur.« Die meisten Leute zogen darauf die Augenbrauen hoch, aber nicht Gill Templer. »Er trat in Theatern und Varietés auf. Im Sommer nahm er Engagements in Städten wie Blackpool und Ayr an, sodass wir in den Sommerferien immer von Fife wegkamen.«

Sie hielt den Kopf schräg und lauschte zufrieden seinen Geschichten. Im Krankensaal war es ruhig, nachdem die anderen Besucher brav beim Ertönen der Glocke gegangen waren. Eine Schwester schob einen Servierwagen mit einer großen verbeulten Kanne Tee herum. Gill bekam eine Tasse, und die Schwester lächelte ihr verschwörerisch zu.

»Sie ist nett, diese Schwester«, sagte Rebus entspannt. Er hatte zwei Tabletten bekommen, eine blaue und eine braune, und die machten ihn schläfrig. »Sie erinnert mich an ein Mädchen, das ich kannte, als ich bei den Fallschirmjägern war.«

»Wie lange warst du bei den Fallschirmjägern, John?«

»Sechs Jahre. Nein, acht.«

»Warum bist du dort weggegangen?«

Warum war er dort weggegangen? Die gleiche Frage hatte ihm Rhona immer wieder gestellt, voller Neugier, angestachelt von dem Gefühl, dass er etwas zu verbergen hätte, dass er irgendeine monströse Leiche im Keller hätte.

»Ich weiß es nicht so genau. Es ist schwer, sich so weit zurück zu erinnern. Ich wurde für eine Spezialausbildung ausgewählt, und die hat mir gar nicht gefallen.«

Und das entsprach der Wahrheit. Er konnte keine Erinnerungen an seine Ausbildung gebrauchen, an den Gestank von Furcht und Misstrauen, das Schreien, das Schreien in seiner Erinnerung. *Lasst mich raus*. Das Echo der Einzelhaft.

»Nun ja«, sagte Gill, »wenn *meine* Erinnerung mich nicht trügt, wartet drüben im Präsidium ein Fall auf mich.«

»Da fällt mir ein«, sagte er, »ich glaube, ich hab gestern Abend deinen Freund gesehen. Diesen Reporter. Stevens hieß der doch? Er war zur selben Zeit in einem Pub wie ich. Merkwürdig.«

»Gar nicht so merkwürdig. Der hängt ständig in Pubs rum. Komisch, in mancher Hinsicht ist er ein bisschen wie du. Allerdings nicht so sexy.« Sie lächelte, küsste ihn noch einmal auf die Wange und stand von dem Metallstuhl auf. »Ich versuch, noch mal vorbeizukommen, bevor sie dich entlassen, aber du weißt ja, wie das ist. Ich kann keine konkreten Versprechungen machen, D. S. Rebus.«

Als sie vor ihm stand, wirkte sie kleiner, als Rebus sie in Erinnerung hatte. Ihre Haare fielen ihm ins Gesicht, als sie ihn ein weiteres Mal küsste, diesmal voll auf den Mund, und er starrte in den dunklen Spalt zwischen ihren Brüsten. Er fühlte sich ein bisschen müde, so müde. Er zwang sich, die Augen offen zu halten, während sie hinausging. Ihre Absätze klapperten auf dem Fliesenboden, während die Schwestern auf ihren Gummisohlen wie Geister vorbeischwebten. Er richtete sich auf den Ellbogen auf, damit er ihren Beinen hinterher sehen konnte. Sie hatte schöne Beine. Daran hatte er sich erinnert. Er erinnerte sich, wie sie ihn umklammert hatten, die Füße auf seinem Hintern. Er erinnerte sich, wie ihr Haar über das Kissen gefallen war, wie ein Seestück von Turner. Er erinnerte sich an das Flüstern ihrer Stimme in seinen Ohren, dieses Flüstern. O ja, John, oh, John, ja, ja, ja.

Warum hast du die Armee verlassen?

Als sie sich umdrehte, verwandelte sie sich in die Frau, deren erstickende Schreie seinen Höhepunkt begleitet hatten.

Warum hast du?
Oh, oh, oh, oh.
O ja, die Geborgenheit von Träumen.

XVII

Die Verleger waren begeistert, wie sich der Würger von Edinburgh auf die Auflagenziffern ihrer Zeitungen auswirkte. Erfreut beobachteten sie, wie die Geschichte zusehends immer weiter wuchs, als ob sie sorgsam gehegt und gepflegt würde. Beim Mord an Nicola Turner hatte sich der *Modus operandi* geringfügig geändert. Anscheinend hatte der Würger einen Knoten in die Schnur gemacht, bevor er das Mädchen strangulierte. Dieser Knoten hatte stark auf die Kehle des Mädchens gedrückt und Quetschungen verursacht. Die Polizei maß dem nicht viel Bedeutung bei. Sie war zu sehr damit beschäftigt, nach blauen Ford Escorts zu suchen, um sich für ein so kleines technisches Detail zu interessieren. Man überprüfte jeden Ford Escort in der Region, vernahm jeden Besitzer, jeden Fahrer.

Gill Templer hatte eine Beschreibung des Autos an die Presse weitergegeben in der Hoffnung auf ein großes Echo aus der Bevölkerung. Und es kam. Nachbarn zeigten ihre Nachbarn an, Väter ihre Söhne, Frauen ihre Männer und Männer ihre Frauen. Es waren über zweihundert blaue Ford Escorts zu überprüfen, und wenn das nichts ergab, würden sie noch einmal überprüft, bevor man zu andersfarbigen Ford Escorts überging und dann zu anderen Limousinen in Hellblau. Das könnte monatelang dauern, ganz bestimmt aber etliche Wochen.

Jack Morton hielt gerade eine weitere fotokopierte Liste in der Hand. Er hatte seinen Arzt wegen geschwollener Füße konsultiert. Der Arzt hatte ihm erklärt, er würde zu viel in billigen Schuhen ohne Fußbett herumlaufen. Das war Morton nichts Neues. Er hatte mittlerweile so viele Verdächtige vernommen, dass sie für ihn nur noch eine verschwommene Masse bildeten. Sie sahen alle gleich aus und verhielten sich auch gleich: nervös, respektvoll, unschuldig. Wenn der Würger doch nur einen Fehler machen würde. Doch es gab keine Anhaltspunkte, die sich zu verfolgen lohnten. Morton befürchtete, dass das Auto eine falsche Spur war. Keine Anhaltspunkte, die sich zu verfolgen lohnten. Dabei fielen ihm John Rebus' anonyme Briefe ein. *Überall sind Anhaltspunkte*. Könnte das auf diesen Fall zutreffen? Könnten die Anhaltspunkte zu offenkundig sein, um sie zu bemerken, oder zu abstrakt? Es wäre schon ein ungewöhnlicher, ein äußerst ungewöhnlicher Mordfall, bei dem es nicht irgendwo einen deutlichen Stolperstein gab, der nur darauf wartete, bemerkt zu werden. Er hatte bloß keinen blassen Schimmer, wo der sein sollte, und deshalb war er – in der Hoffnung auf etwas Mitgefühl und ein paar freie Tage – zum Arzt gegangen. Rebus hatte mal wieder Schwein gehabt, Morton beneidete ihn um seine Krankheit.

Er parkte sein Auto auf einer doppelten gelben Linie vor der Bibliothek und ging hinein. Die große Eingangshalle erinnerte ihn an die Zeit, als er selbst noch die Bibliothek benutzt hatte. Stets war er mit einem Stapel Bücher aus der Kinderabteilung herausgekommen. Die war damals im Erdgeschoss. Er fragte sich, ob das immer noch so war. Seine Mutter hatte ihm immer das Geld für den Bus gegeben, und er war in die Stadt gefahren, angeblich nur um seine Bibliotheksbücher zurückzugeben und sich neue zu holen. Doch in Wirklichkeit, damit er ein bis zwei Stunden durch die Straßen schlendern und das Gefühl auskosten konnte, wie es sein musste, erwachsen und frei zu sein. Er hatte amerikanische Touristen verfolgt, wie sie selbstbewusst herumstolzierten mit ihren aufgeschwollenen Brieftaschen und Hosenbünden. Er beobachtete sie, wie sie die Statue von Blackfriar's Bobby auf der anderen Seite des Kirchhofs fotografierten. Er hatte die Statue von dem kleinen Hund lange und durchdringend betrachtet und nichts dabei empfunden. Er hatte über die Covenanters gelesen, über Deacon Brodie, über öffentliche Hinrichtungen auf der High Street, und sich gefragt, was das für eine Stadt war und was für ein Land. Er schüttelte den Kopf. Solche Fantasien kümmerten ihn nicht mehr und er ging zum Informationstisch.

»Hallo, Mr. Morton.«

Er drehte sich um und sah ein Mädchen, fast schon eine junge Dame, vor sich, ein Buch an ihren schmalen Oberkörper gedrückt. Er runzelte die Stirn.

»Ich bin's, Samantha Rebus.«

Er bekam große Augen.

»Du meine Güte, tatsächlich. Du bist aber gewachsen, seit ich dich das letzte Mal gesehen habe. Das muss aber auch schon ein oder zwei Jahre her sein. Wie geht's dir?«

»Mir geht's gut, danke. Ich bin mit meiner Mutter hier. Sind Sie wegen einer Polizeiangelegenheit hier?«

»So was in der Art, ja.« Morton konnte ihren durchdringenden Blick spüren. Mein Gott, sie hatte die gleichen Augen wie ihr Vater. Er hatte eindeutig seine Spur hinterlassen.

»Wie geht's Dad?«

Sagen oder nicht sagen. Warum es ihr nicht sagen? Andererseits, war es seine Aufgabe, es ihr zu sagen?

»Ihm geht's gut, soweit ich weiß«, sagte er in dem Bewusstsein, dass dies zu siebzig Prozent der Wahrheit entsprach. »Ich wollte gerade in die Jugendabteilung. Mum ist im Lesesaal. Da ist es todlangweilig.«

»Ich komme mit. Da wollte ich nämlich auch gerade hin.«

Sie lächelte ihn an. Offenbar ging ihr irgendetwas Amüsantes durch ihren jugendlichen Kopf. Und Jack Morton dachte, dass sie überhaupt nicht wie ihr Vater war. Sie war viel zu nett und höflich.

Ein viertes Mädchen wurde vermisst. Der Ausgang schien von vornherein klar. Kein Buchmacher hätte darauf eine Wette angenommen.

»Wir brauchen besondere Wachsamkeit«, betonte Anderson. »Heute Abend werden mehr Beamte eingesetzt. Bedenken Sie«, die anwesenden Beamten wirkten hohläugig und demoralisiert, »falls er sein Opfer umbringt, wird er versuchen, die Leiche irgendwo loszuwerden, und wenn wir ihn dabei erwischen oder wenn jemand aus der Bevölkerung ihn dabei sieht, nur dieses eine Mal, dann haben wir ihn.« Anderson schlug sich mit der Faust gegen die Handfläche. Niemanden schien seine Rede besonders aufzumuntern. Schließlich war es dem Würger bereits gelungen, drei Leichen unbemerkt in verschiedenen Stadtteilen abzuladen, in Oxgangs, Haymarket und Colinton. Und die Polizei konnte nicht überall sein (obwohl es den Leuten im Augenblick so vorkam), so sehr sie sich auch bemühte.

»Auch das jüngste Entführungsopfer«, sagte der Chief Inspector und sah in seine Unterlagen, »scheint wenig mit den anderen gemeinsam zu haben. Der Name des Mädchens ist Helen Abbot, acht Jahre alt, also ein bisschen jünger als die anderen, hellbraunes, schulterlanges Haar. Wurde zuletzt mit ihrer Mutter in einem Kaufhaus auf der Princes Street gesehen. Die Mutter sagt, das Mädchen sei einfach verschwunden. Gerade war sie noch da gewesen, und im nächsten Augenblick sei sie verschwunden, ähnlich wie bei dem zweiten Opfer.«

Als Gill Templer hinterher darüber nachdachte, erschien ihr das seltsam. Die Mädchen konnten doch nicht direkt in den Geschäften entführt worden sein. Das wäre nicht ohne Geschrei und ohne Zeugen möglich gewesen. Ein Zeuge hatte sich gemeldet und gesagt, er hätte ein Mädchen, das dem zweiten Opfer – Mary Andrews – ähnelte, gesehen, wie es die Treppe von der National Gallery den Mound hinaufstieg. Sie wäre allein gewesen und hätte ganz zufrieden gewirkt. Also musste sich das Mädchen, überlegte Gill Templer, von seiner Mutter weggeschlichen haben. Aber warum? Zu einer heimlichen Verabredung mit jemandem, den sie kannte und der sich dann als ihr Mörder herausstellte? In diesem Fall war es wahrscheinlich, dass *alle* Mädchen ihren Mörder gekannt hatten, also *mussten* sie etwas gemeinsam haben. Unterschiedliche Schulen, unterschiedliche Freunde, unterschiedliches Alter. Was war der gemeinsame Nenner?

Als sie schließlich Kopfschmerzen bekam, gab sie sich geschlagen. Außerdem war sie inzwischen bei Johns Wohnung angekommen und musste an andere Dinge denken. Er hatte sie gebeten, ihm ein paar saubere Sachen für seine Entlassung zu holen und nachzusehen, ob irgendwelche Post da war. Außerdem sollte sie kontrollieren, ob die Heizung noch lief. Er hatte ihr seinen Schlüssel gegeben, und während sie die Treppe hinaufstieg und sich wegen des penetranten Katzengestanks die Nase zuhielt, spürte sie eine Übereinstimmung zwischen John Rebus und sich. Sie fragte sich, ob ihre Beziehung allmählich ernst wurde. Er war ein netter Mann, wenn er auch einen leichten Knacks weg hatte und ein bisschen geheimnistuerisch war. Vielleicht gefiel ihr ja gerade das.

Sie öffnete die Tür, hob die paar Briefe auf, die auf dem Teppich in der Diele lagen, und machte einen raschen Rundgang durch die Wohnung. Als sie in der Tür zum Schlafzimmer stand, dachte sie an die Leidenschaft in jener Nacht, an den Geruch, der immer noch in der Luft zu hängen schien.

Die Zündflamme brannte noch. Das würde ihn überraschen. Wie viele Bücher er hatte, aber schließlich war seine Frau ja Englischlehrerin gewesen. Sie hob einen Teil vom Boden auf und stellte sie auf die leeren Regalböden in der Schrankwand. In der Küche machte sie sich Kaffee und setzte sich hin, um ihn schwarz zu trinken und dabei die Post durchzusehen. Eine Rechnung, eine Postwurfsendung und einen mit Schreibmaschine getippten Briefumschlag, der bereits vor drei Tagen in Edinburgh aufgegeben worden war. Sie steckte die Briefe in ihre Handtasche und ging den Kleiderschrank inspizieren. Samanthas Zimmer, bemerkte sie, war immer noch abgeschlossen. Noch mehr Erinnerungen, die sorgfältig beiseite geschoben wurden. Armer John.

Jim Stevens hatte entschieden zuviel Arbeit. Der Würger von Edinburgh wurde zum alles beherrschenden Thema. Man konnte den Schweinehund nicht ignorieren, selbst wenn man glaubte, etwas Besseres zu tun zu haben. Stevens arbeitete mit drei Kollegen an der täglichen Berichterstattung und den Sonderbeiträgen für die Zeitung. Kindesmissbrauch im heutigen Großbritannien war immer eine heiße Sache. Allein die Zahlen waren erschreckend genug, aber noch schrecklicher war das Gefühl, dass man nicht viel mehr tun konnte als abzuwarten, bis die Leiche des Mädchens auftauchte. Bis das nächste Mädchen verschwand. Edinburgh war eine Geisterstadt. Die meisten Kinder mussten zu Hause bleiben, und die, die raus durften, huschten durch die Straßen, als würden sie gejagt. Stevens wollte sich ganz der Drogengeschichte widmen, den immer umfangreicher werdenden Beweisen, der Verbindung zur Polizei. Aber er fand keine Zeit dazu. Tom Jameson saß ihm ständig im Nacken, streunte den ganzen Tag im Büro herum. Wo bleibt der Artikel, Jim? Wird langsam Zeit, dass du was für dein Geld tust, Jim. Wann ist die nächste Pressekonferenz, Jim? Am Ende des Tages war Stevens immer völlig ausgebrannt. Er kam zu dem Schluss, dass er die Arbeit im Fall Rebus vorläufig liegen lassen musste. Was sehr schade war. Denn während die Polizei auf Hochtouren an den Morden arbeitete, war freie Bahn für alle möglichen anderen Verbrechen, einschließlich des Drogenhandels. Die Edinburgher Mafia musste einen Riesenspaß haben. Er hatte die Geschichte mit dem »Bordell« in Leith verwendet, in der Hoffnung, im Gegenzug ein paar Informationen zu erhalten. Aber die großen Bosse hatten offenbar keine Lust mitzuspielen. Zum Teufel mit ihnen. Sein großer Tag würde schon noch kommen.

Als sie den Krankensaal betrat, las Rebus in einer Bibel, die ihm das Krankenhaus zur Verfügung gestellt hatte. Als die Oberschwester von seiner Bitte erfuhr, hatte sie ihn gefragt, ob er mit einem Pfarrer oder Priester sprechen wollte, doch er hatte dieses Angebot energisch abgelehnt. Er war ganz zufrieden – mehr als zufrieden – damit, einige der besseren Passagen im Alten Testament durchzublättern und seine Erinnerung an ihre Kraft und moralische Stärke aufzufrischen. Er las die Geschichten von Moses, Samson und David, bevor er zum Buch Hiob kam. Hier stieß er auf eine Kraft, der jemals begegnet zu sein er sich nicht erinnern konnte.

> Wenn die Geißel plötzlich tötet,
> spottet er über der Schuldlosen Angst.
> Die Erde ist in Frevlerhand gegeben,
> Das Gesicht ihrer Richter deckt er zu.
> Ist er es nicht, wer ist es dann?
>
> Sage ich: Ich will meine Klage vergessen,
> meine Miene ändern und heiter blicken!,
> so graut mir vor all meinen Schmerzen;
> ich weiß, du sprichst mich nicht frei.
> Ich muss nun einmal schuldig sein,
> wozu müh ich mich sonst?
> Wollte ich auch mit Schnee mich waschen,
> meine Hände mit Lauge reinigen,
> du würdest mich doch in die Grube tauchen,
> sodass meinen Kleidern vor mir ekelt.

Rebus spürte, wie ihm die Kälte den Rücken hinunterlief, obwohl es im Krankensaal drückend heiß war und seine Kehle nach Wasser schrie. Als er etwas von der lauwarmen Flüssigkeit in einen Plastikbecher goss, sah er Gill Templer auf Zehenspitzen zu ihm herüberlaufen. Mit ihrem Lächeln brachte sie ein wenig Freude in den Krankensaal. Ein paar von den Männern musterten sie anerkennend. Rebus war plötzlich froh, dass er das Krankenhaus noch heute verlassen konnte. Er legte die Bibel beiseite und begrüßte Gill mit einem Kuss in den Nacken.

»Was hast du da?«

Er nahm ihr das Päckchen ab und stellte fest, dass es seine Sachen zum Umziehen enthielt.

»Danke«, sagte er. »Ich hab gedacht, das Hemd hier wär nicht mehr allzu sauber gewesen.«

»War es auch nicht.« Sie lachte und zog sich einen Stuhl heran. »Nichts war sauber. Ich musste deine ganzen Sachen waschen und bügeln. Sie stellten bereits ein Gesundheitsrisiko dar.«

»Du bist ein Engel«, sagte er und legte das Päckchen zur Seite.

»Apropos Engel, was hast du denn gerade im Buch der Bücher gelesen?« Sie klopfte auf den roten Kunstledereinband der Bibel.

»Ach, nur so ein bisschen Hiob. Ich hab das vor langer Zeit mal gelesen. Es kommt mir jetzt nur viel beängstigender vor. Ein Mann, der zu zweifeln beginnt, auf der Suche nach einer Antwort seine Zweifel zu Gott schreit und eine Antwort bekommt. ›Die Erde ist in Frevlerhand gegeben‹, sagt er an einer Stelle und ›wozu müh ich mich sonst‹ an einer anderen.«

»Das klingt interessant. Aber er müht sich weiter?«

»Ja, das ist das Unglaubliche.«

Der Tee kam, und die junge Krankenschwester gab Gill wie beim letzten Mal auch eine Tasse. Außerdem gab es einen Teller Kekse.

»Ich hab dir die Post aus deiner Wohnung mitgebracht, und hier ist dein Schlüssel.« Sie hielt ihm den kleinen Yale-Schlüssel hin, doch er schüttelte den Kopf.

»Behalt ihn«, sagte er, »bitte. Ich hab noch einen.«

Sie musterten sich gegenseitig.

»Na schön«, sagte Gill schließlich. »Ich behalte ihn. Danke.« Mit diesen Worten gab sie ihm die drei Briefe. Er sah sie kurz durch.

»Jetzt schickt er sie mir also per Post.« Rebus riss die neueste Mitteilung auf. »Dieser Typ«, sagte er, »verfolgt mich.

Mister Knoten nenne ich ihn. Mein persönlicher anonymer Verrückter.«

Gill wirkte neugierig, während Rebus den Brief las. Er war länger als sonst.

Du hast es wohl immer noch nicht erraten, was? Du hast keine Ahnung. Dir fällt nichts dazu ein. Dabei ist es fast vorbei. Fast vorbei. Sag nicht, ich hätte dir keine Chance gegeben. Das kannst du nicht behaupten. unterzeichnet.

Rebus zog ein kleines Streichholzkreuz aus dem Briefumschlag.

»Ah, heute ist es also Mister Kreuz. Aber Gott sei Dank ist er ja bald fertig. Wird ihm wohl allmählich zu langweilig.«

»Was hat das alles zu bedeuten, John?«

»Hab ich dir nichts von diesen anonymen Briefen erzählt? Es ist allerdings auch keine sehr aufregende Geschichte.«

»Wie lange geht das schon?« Gill, die gerade den Brief gelesen hatte, betrachtete jetzt den Umschlag.

»Seit sechs Wochen. Vielleicht auch etwas länger. Warum?«

»Tja, zufällig wurde dieser Brief an dem Tag abgeschickt, an dem Helen Abbot verschwand.«

»Ach?« Rebus griff nach dem Briefumschlag und sah auf den Poststempel. »Edinburgh, Lothian, Fife, Borders« stand darauf. Ein ziemlich großes Gebiet. Er dachte erneut an Michael.

»Du kannst dich vermutlich nicht erinnern, wann du die anderen Briefe bekommen hast?«

»Worauf willst du hinaus, Gill?« Er blickte zu ihr auf und hatte plötzlich das Gefühl, dass ihn eine professionelle Polizistin anstarrte. »Um Himmels willen, Gill. Dieser Fall geht uns allen an die Nerven. Wir sehen alle allmählich Gespenster.«

»Ich bin bloß neugierig, weiter nichts.« Sie las den Brief noch einmal. Es war nicht der typische Tonfall eines Verrückten, auch nicht der Stil eines Verrückten. Das beunruhigte sie. Und als Rebus jetzt darüber nachdachte, schien es ihm, als seien die Briefe tatsächlich jeweils zum Zeitpunkt einer der Entführungen gekommen. Gab es da eine Verbindung, die die ganze Zeit zum Greifen nah gewesen war? Dann war er in der Tat sehr kurzsichtig gewesen, hatte Scheuklappen getragen. Oder es war alles bloß ein unglaublicher Zufall.

»Es ist nur ein Zufall, Gill.«

»Dann sag mir, wann die anderen Briefe gekommen sind.«

»Weiß ich nicht mehr.«

Sie beugte sich über ihn, ihre Augen wirkten riesig hinter ihrer Brille. Mit ruhiger Stimme sagte sie: »Verbirgst du etwas vor mir?«

»Nein!«

Der ganze Krankensaal wandte sich bei seinem Aufschrei um, und er spürte, wie er rot im Gesicht wurde.

»Nein«, flüsterte er. »Ich verberge nichts vor dir. Zumindest ...« Aber wie konnte er da so sicher sein? Bei so vielen Verhaftungen im Laufe der Zeit musste er sich doch Feinde gemacht haben, auch wenn er die längst vergessen hatte. Aber von denen würde ihn doch keiner auf diese Weise quälen. Bestimmt nicht.

Mit Papier und Stift und viel Nachdenken auf Rebus' Seite gingen sie die Ankunft jedes Briefes durch – Datum, Inhalt, Art der Zustellung. Gill nahm ihre Brille ab und rieb sich seufzend die Nasenwurzel.

»Das wäre ein zu großer Zufall, John.«

Und tief in seinem Inneren wusste er, dass sie Recht hatte. Er wusste, dass nichts jemals so war, wie es zu sein schien, dass es nichts Willkürliches gab. »Gill«, sagte er schließlich und zerrte an der Bettdecke, »ich muss hier raus.«

Im Auto versuchte sie ihn noch weiter auszuquetschen. Wer könnte es sein? Worin bestand die Verbindung? Warum?

»Was soll das?«, brüllte er sie an. »Stehe ich jetzt unter Verdacht oder was?«

Sie betrachtete seine Augen, versuchte sie zu durchdringen, die Wahrheit dahinter zu fassen zu kriegen. O ja, sie war durch und durch Detective, und ein guter Detective traut niemandem. Sie sah ihn wie einen ausgescholtenen Schuljungen an, der immer noch nicht alle Geheimnisse preisgegeben, immer noch nicht alle Sünden bekannt hatte. Bekenne.

Gill wusste, dass es sich nur um eine Ahnung handelte, völlig unhaltbar. Doch sie spürte, da war etwas, vielleicht hinter diesen funkelnden Augen. Während ihrer Zeit bei der Polizei waren schon merkwürdigere Dinge vorgekommen. Ständig passierten merkwürdige Dinge. Wahrheit war immer merkwürdiger als Fiktion, und niemand war vollkommen unschuldig. Diese schuldbewussten Blicke, egal wen man verhörte. Jeder hatte irgendwas zu verbergen. Meistens war es nur Kleinkram, der unter den vielen vergangenen Jahren begraben lag. Man würde eine Gedankenpolizei brauchen, um an solche Verbrechen heranzukommen. Aber wenn John ... Wenn sich erwies, dass John Rebus in diesem ganzen Schlamassel mit drin steckte, dann wäre ... Das war zu absurd, um darüber nachzudenken.

»Natürlich stehst du nicht unter Verdacht, John«, sagte sie. »Aber es könnte vielleicht wichtig sein, oder?«

»Das soll Anderson für uns entscheiden«, sagte er und verfiel in Schweigen, während zugleich ein Zittern durch seinen Körper ging.

In dem Augenblick kam Gill ein Gedanke: wenn er sich die Briefe nun selbst geschickt hätte?

XVIII

Er spürte, wie seine Arme anfingen zu schmerzen, und als er hinabblickte, sah er, dass das Mädchen aufgehört hatte, sich zu wehren. Es gab diesen Punkt, diesen plötzlichen glückseligen Punkt, an dem Körper und Geist zu begreifen begannen, dass es sinnlos war weiterzuleben. Das war ein schöner, friedvoller Augenblick, der entspannteste Moment im ganzen Leben. Vor vielen Jahren hatte er versucht, sich umzubringen, und genau diesen Augenblick ausgekostet. Aber im Krankenhaus und hinterher in der psychiatrischen Klinik hatten sie alle möglichen Dinge mit ihm angestellt. Sie hatten ihm den Lebenswillen wiedergegeben, und nun zahlte er es ihnen heim, zahlte es ihnen allen heim. Er erkannte diese Ironie in seinem Leben und kicherte. Dann löste er das Klebeband von Helen Abbots Mund und zerschnitt mit der kleinen Schere ihre Fesseln. Schließlich nahm er seine praktische kleine Kamera aus der Hosentasche und machte eine weitere Sofortbildaufnahme von ihr, eine Art *Memento mori*. Falls sie ihn jemals erwischten, würden sie ihn dafür windelweich prügeln, aber sie könnten ihn niemals als Sexualmörder brandmarken. Sex hatte nichts damit zu tun. Diese Mädchen dienten ihm nur als Bauernopfer, ihre Namen waren ihr Schicksal. Die Nächste und Letzte war diejenige, auf die es wirklich ankam, und wenn möglich würde er sie sich noch heute vornehmen. Er kicherte noch einmal. Das war ein besseres Spiel als Nullen und Kreuze. Und in beiden war er der Sieger.

XIX

Chief Inspector William Anderson liebte das Gefühl der Jagd, diesen ständigen Kampf zwischen Instinkt und mühsamer Ermittlungsarbeit. Außerdem liebte er das Gefühl, seine Abteilung uneingeschränkt hinter sich zu wissen. Wenn er Befehle erteilen und Weisheiten und Strategien unter die Leute bringen konnte, war er ganz in seinem Element.

Selbstverständlich wäre es ihm lieber, wenn sie den Würger bereits erwischt hätten. Er war schließlich kein Sadist. Und das Gesetz musste gewahrt werden. Trotzdem, je länger sich eine Ermittlung wie diese hinzog, um so wunderbarer wurde das Gefühl, kurz vorm Erlegen der Beute zu stehen, und diesen Augenblick in vollem Umfang zu genießen war eins der Privilegien einer verantwortlichen Position.

Der Würger begann, kleine Fehler zu machen, und das war für Anderson in diesem Stadium das Wichtigste. Erst der blaue Ford Escort und nun die interessante Theorie, dass der Mörder bei der Armee gewesen oder immer noch dabei war. Darauf waren sie gekommen, weil er einen Knoten in die Garrotte gemacht hatte. Informationsfetzen wie diese würden schließlich zu einem Namen, einer Adresse, einer Verhaftung führen. Und in jenem Augenblick würde Anderson seine Beamten physisch wie geistig anführen. Es würde ein weiteres Interview im Fernsehen geben und ein weiteres vorteilhaftes Foto in der Zeitung (er war nämlich recht fotogen). O ja, der Sieg würde süß sein, sofern der Würger sich nicht, wie so viele vor ihm, einfach in Luft auflösen würde. Diese Möglichkeit durfte man gar nicht erst in Betracht ziehen. Schon bei dem Gedanken bekam er weiche Knie.

Im Grunde hatte er gar nichts gegen Rebus. Der Mann war ein ganz passabler Polizist, vielleicht ein bisschen ruppig in seinen Methoden. Außerdem wusste er, dass Rebus' Privatleben ziemlich durcheinander geraten war. Es war ihm zu Ohren gekommen, dass die Frau, mit der sein Sohn zusammenlebte, Rebus' Exfrau war. Er versuchte, gar nicht darüber nachzudenken. Als Andy die Haustür hinter sich zuknallte, war er sozusagen aus dem Leben seines Vaters hinausspaziert. Wie konnte jemand heutzutage seine Zeit damit verbringen, Gedichte zu schreiben? Das war lächerlich. Und dann mit Rebus' Frau zusammenzuziehen … Nein, er hatte nichts gegen Rebus, doch als er Rebus mit dieser hübschen Pressesprecherin auf sich zukommen sah, spürte Anderson ein Rumoren im Magen, als wollte sich sein Inneres plötzlich nach außen kehren.

»Schön, dass Sie wieder da sind, John. Wieder fit?«

Anderson ließ seine Hand vorschnellen, und völlig verblüfft blieb Rebus gar nichts anderes übrig, als sie zu nehmen und seinen Händedruck zu erwidern.

»Mir geht's gut, Sir«, sagte er.

»Sir«, meldete sich Gill Templer zu Wort, »könnten wir Sie kurz sprechen? Es hat eine neue Entwicklung gegeben.«

»Den *Hauch* einer Entwicklung«, verbesserte Rebus und starrte Gill an.

Anderson blickte von einem zum anderen.

»Dann sollten Sie besser in mein Büro kommen.«

Gill erklärte Anderson die Situation aus ihrer Sicht, und er, weise und sicher hinter seinem Schreibtisch, hörte zu und warf gelegentlich einen Blick zu Rebus, der ihn entschuldigend anlächelte. Tut mir leid, dass wir Ihre Zeit verschwenden, schien Rebus' Lächeln zu sagen.

»Nun, Rebus?«, sagte Anderson, als Gill zum Ende gekommen war. »Was sagen Sie dazu? Könnte jemand einen Grund haben, Sie über seine Pläne zu informieren? Ich meine, könnte es sein, dass der Würger Sie *kennt*?«

Rebus zuckte die Achseln und lächelte, lächelte, lächelte.

Jack Morton saß in seinem Auto und machte sich auf einem Berichtsformular ein paar Notizen. Verdächtigen gesehen. Selbigen vernommen. Gelassen, hilfsbereit. Eine weitere Sackgasse, hätte er am liebsten geschrieben. Eine weitere beschissene Sackgasse. Eine Politesse kam mit drohendem Blick auf sein Auto zu. Seufzend legte er Papier und Stift beiseite und griff nach seinem Dienstausweis. Mal wieder so ein Tag.

Rhona Philips hatte ihren Regenmantel an. Es war Ende Mai, und so weit man blicken konnte, ging ein Regen nieder, als sei er von einem Künstler auf eine Leinwand gemalt worden. Sie küsste ihren lockigen Poeten zum Abschied, der am hellichten Nachmittag Fernsehen guckte, und verließ, in ihrer Handtasche nach dem Autoschlüssel wühlend, das Haus. Neuerdings holte sie Sammy immer von der Schule ab, obwohl die Schule nur eineinviertel Meilen entfernt war. Außerdem ging sie mittags mit ihr in die Bibliothek, damit sie nicht unbeaufsichtigt durch die Gegend lief. Solange dieser Wahnsinnige immer noch nicht gefasst war, wollte sie kein Risiko eingehen. Sie lief zu ihrem Auto, stieg ein und knallte die Tür zu. Der Edinburgher Regen war wie eine Strafe Gottes. Er drang in die Knochen, in das Mauerwerk der Häuser, in die Erinnerungen der Touristen. Er hielt tagelang an, spritzte aus den Pfützen am Straßenrand auf, zerstörte Ehen, war kalt, tödlich, allgegenwärtig. Die typische Postkarte aus einer Edinburgher Pension: »Edinburgh ist wunderschön. Die Leute sind ziemlich reserviert. Gestern hab ich das Schloss besichtigt und das Scott Monument. Es ist eine sehr kleine Stadt, alles ganz übersichtlich. Man könnte es nach New York verfrachten, und niemand würde es dort bemerken. Das Wetter könnte besser sein.«

Das Wetter könnte besser sein. Die Kunst des Euphemismus. Scheiß, scheiß Regen. Mal wieder typisch, ausgerechnet wenn sie einen freien Tag hatte. Und auch typisch, dass Andrew und sie sich gestritten hatten. Und jetzt saß er schmollend in seinem Sessel, die Beine untergeschlagen. Mal wieder so ein Tag. Und dann musste sie heute Abend auch noch Gutachten schreiben. Gott sei Dank hatten die Prüfungen angefangen. Die Kinder schienen dann etwas gefügiger zu sein, die großen litten unter Prüfungsfieber oder Prüfungsapathie, und die jüngeren sahen ihre unausweichliche Zukunft in den Gesichtern ihrer älteren vom Schicksal verdammten Mitschüler vorgezeichnet. Es war eine interessante Zeit im Jahr. Bald würde Sammy diese Angst auch kennen lernen, Sammy, die jetzt, wo sie schon fast eine Frau war, mit Samantha angeredet wurde. Aber auch auf Eltern kamen Ängste zu. Die Angst vor der Pubertät, vor dem Ausprobieren.

Er beobachtete sie von seinem Escort aus, wie sie den Wagen rückwärts aus der Einfahrt setzte. Perfekt. Er würde ungefähr fünfzehn Minuten warten müssen. Als ihr Auto verschwunden war, fuhr er mit seinem vors Haus und hielt an. Er betrachtete prüfend die Fenster des Hauses. Ihr Typ würde allein drinnen sein. Er stieg aus dem Auto und ging zur Haustür.

Als Rebus nach dem ergebnislosen Gespräch wieder in der Einsatzzentrale war, ahnte er nicht, dass Anderson plante, ihn überwachen zu lassen. Im Einsatzraum sah es ziemlich chaotisch aus. Überall lagen Papiere herum, in eine Ecke hatte man einen kleinen Computer gezwängt, die Wände waren mit Tabellen, Einsatzplänen und sonstwas tapeziert.

»Ich muss zu einer Besprechung«, sagte Gill. »Wir sehen uns später. Hör mal, John, ich glaube wirklich, dass es da eine Verbindung gibt. Nenn es weibliche Intuition, nenn es detektivische Spürnase, nenn es, wie du willst, aber nimm mich ernst. Denk darüber nach. Überleg, wer noch eine Rechnung mit dir offen hat. Bitte.«

Er nickte, dann sah er ihr nach, wie sie sich auf den Weg zu ihrem Büro in einem anderen Teil des Gebäudes machte. Rebus war sich nicht mehr so sicher, welches sein Schreibtisch war. Er ließ seinen Blick durch den Raum wandern. Irgendwie sah alles anders aus, als ob ein paar Schreibtische umgestellt oder zusammengeschoben worden wären. Auf dem Schreibtisch neben ihm klingelte das Telefon. Und obwohl andere Beamte und auch Telefonisten in der Nähe waren, nahm er den Hörer ab in dem Bemühen, wieder an den Ermittlungen teilzunehmen. Er betete, dass er nicht selbst das Ziel der Ermittlungen war. Er betete und vergaß, was Gebet eigentlich war.

»Einsatzzentrale«, sagte er. »Detective Sergeant Rebus am Apparat.«

»Rebus? Was für ein seltsamer Name.« Die Stimme klang alt, aber lebhaft und eindeutig gebildet. »Rebus«, sagte der Mann erneut, als ob er sich den Namen notierte. Rebus fixierte das Telefon.

»Und Ihr Name, Sir?«

»Ach ja, ich bin Michael Eiser, E-I-S-E-R, Professor für englische Literatur hier an der Universität.«

»Ja, Sir?« Rebus schnappte sich einen Bleistift und notierte sich den Namen. »Und was kann ich für Sie tun, Sir?«

»Also Mister Rebus, ich glaube, es ist wohl eher die Frage, was *ich* für *Sie* tun kann, obwohl ich mich natürlich irren könnte.« Rebus sah den Mann regelrecht vor sich, falls der Anruf nicht von irgendeinem Spinner kam – wirres Haar, Fliege, zerknitterter Tweedanzug und alte Schuhe. Und beim Sprechen würde der Mann wild mit den Händen herumgestikulieren. »Ich interessiere mich nämlich für Sprachspiele. Ich schreibe zurzeit sogar ein Buch darüber. Es heißt *Leseorientierte empirische Sprachanalyse englischer Redewendungen.* Erkennen Sie das Wortspiel? Es ist ein Akrostichon. Aus den Anfangsbuchstaben jedes Wortes ergibt sich ein weiteres Wort – in dem Fall *Leser.* Es ist ein Spiel so alt wie die Literatur selbst. Mein Buch untersucht allerdings dieses Phänomen in neueren Werken. Bei Nabokov, Burgess und anderen. Natürlich sind Akrosticha nur ein winziger Teil des Repertoires an Stilmitteln, die ein Autor einsetzt, um den Leser zu unterhalten, zu lenken oder zu überzeugen.« Rebus versuchte, den Mann zu unterbrechen, aber es war so, als wollte man einen angreifenden Stier aufhalten. Also war er gezwungen zuzuhören und fragte sich die ganze Zeit, ob der Anruf von einem Verrückten kam, ob er – entgegen aller Vorschrift – einfach den Hörer auflegen sollte. Schließlich hatte er über wichtigere Dinge nachzudenken. Außerdem hatte er Kopfschmerzen.

»... und die Sache ist die, Mister Rebus, dass mir rein zufällig ein Muster darin aufgefallen ist, wie dieser Mörder seine Opfer auswählt.«

Rebus setzte sich auf die Schreibtischkante. Er umklammerte den Bleistift so fest, als wollte er ihn zerdrücken.

»Ach ja?«, sagte er.

»Ja. Ich habe die Namen der Opfer hier vor mir auf einem Blatt Papier stehen. Vielleicht hätte es einem schon früher auffallen sollen, aber ich habe erst heute einen Bericht in einer Zeitung gesehen, in dem alle Namen dieser armen Mädchen aufgeführt waren. Wissen Sie, normalerweise kaufe ich die *Times*, aber ich konnte sie heute Morgen einfach nicht bekommen, deshalb habe ich eine andere Zeitung genommen. Und da stand es drin. Es hat vielleicht nichts zu bedeuten, ist reiner Zufall, aber vielleicht auch nicht. Das müssen Sie und Ihre Kollegen entscheiden. Ich wollte nur darauf hinweisen.«

Jack Morton kam qualmend ins Büro und winkte, als er Rebus sah. Rebus antwortete mit einer ruckartigen Kopfbewegung. Jack wirkte erschöpft. Alle wirkten erschöpft, und er saß hier, frisch und ausgeruht nach seiner Erholungspause, und telefonierte mit einem Verrückten.

»Worauf genau hinweisen, Professor Eiser?«

»Nun ja, sehen Sie das denn nicht? Die Namen der Opfer in chronologischer Reihenfolge waren Sandra Adams, Mary Andrews, Nicola Turner und Helen Abbot.« Jack schlurfte auf Rebus' Tisch zu. »Als Akrostichon gelesen«, fuhr die Stimme fort, »ergibt sich daraus ein weiterer Name – Samantha. Vielleicht das nächste Opfer des Mörders? Es könnte allerdings auch purer Zufall sein, ein Spiel, wo gar keins ist.«

Rebus knallte den Hörer auf, war in der nächsten Sekunde vom Schreibtisch und riss Jack Morton an der Krawatte herum. Morton schnappte nach Luft, und die Zigarette flog ihm aus dem Mund.

»Hast du dein Auto draußen, Jack?«

Immer noch keuchend, antwortete Jack mit einem Nicken. Mein Gott, mein Gott. Es war also wahr. Es hatte alles mit *ihm* zu tun. Samantha. All die Anhaltspunkte, all die Morde waren eine Botschaft an *ihn* gewesen. Mein Gott. Hilf mir, o hilf mir.

Seine Tochter würde das nächste Opfer des Würgers sein.

Rhona Philips sah das Auto vor ihrem Haus parken, aber sie dachte sich nichts dabei. Sie wollte nur raus aus dem Regen. Sie lief zur Haustür, gefolgt von Samantha, die etwas lustlos wirkte, und schloss auf.

»Es ist scheußlich draußen!«, rief sie ins Wohnzimmer. Sie schüttelte ihren Regenmantel aus und ging auf den immer noch laut plärrenden Fernseher zu. Da sah sie Andy in seinem Sessel sitzen. Seine Hände waren hinter dem Kopf gefesselt, und der Mund war mit einem großen Stück Heftpflaster zugeklebt. Von seinem Hals baumelte ein Stück Schnur.

Rhona wollte gerade den lautesten Schrei ihres Lebens loslassen, als sie von einem schweren Gegenstand am Hinterkopf getroffen wurde. Sie taumelte ein Stück nach vorne, brach über den Beinen ihres Geliebten zusammen und verlor das Bewusstsein.

»Hallo, Samantha«, sagte eine Stimme, die sie erkannte, obwohl sein Gesicht vermummt war, sodass sie sein Lächeln nicht sehen konnte.

Mortons Auto raste mit Blaulicht durch die Stadt, als ob der Teufel persönlich hinter ihnen her wäre. Rebus versuchte, ihm während der Fahrt alles zu erklären, aber er war zu nervös, um sich klar auszudrücken, und Jack Morton musste zu sehr auf den Verkehr achten, um richtig zuzuhören. Sie hatten Unterstützung angefordert, einen Wagen zur Schule, für den Fall, dass sie noch da war, und zwei Wagen zum Haus mit der Warnung, dass der Würger sich dort aufhalten könnte. Vorsicht war angesagt.

Auf der Queensferry Road beschleunigte Morton den Wagen auf fünfundachtzig Meilen und bog dann wie ein Geisteskranker mitten durch den entgegenkommenden Verkehr rechts ab. Kurz darauf erreichten sie die schicke Wohnanlage, wo Rhona, Samantha und Rhonas neuer Freund jetzt wohnten.

»Gleich hier rein«, brüllte Rebus gegen den Lärm des Motors an. Noch wollte er die Hoffnung nicht ganz aufgeben. Als sie in die Straße bogen, sahen sie, dass die beiden Polizeiwagen bereits vor dem Haus standen. Und Rhonas Auto stand wie ein Symbol der Vergeblichkeit in der Einfahrt.

XX

Sie wollten ihm Beruhigungsmittel geben, aber er wollte nichts nehmen. Sie sagten, er solle nach Hause gehen, aber er hörte nicht auf ihren Rat. Wie konnte er nach Hause gehen, wo Rhona irgendwo über ihm im Krankenhaus lag? Wo seine Tochter entführt, sein ganzes Leben wie ein abgetragenes Kleidungsstück in Fetzen gerissen worden war? Er ging im Warteraum des Krankenhauses auf und ab. Ihm fehle nichts, erklärte er ihnen. Er wusste, dass Gill und Anderson irgendwo auf dem Flur waren. Der arme Anderson. Durch das schmutzige Fenster beobachtete er, wie draußen einige Krankenschwestern lachend durch den Regen gingen. Ihre Umhänge flatterten um sie herum, als ob sie einem alten Dracula-Film entsprungen wären. Wie konnten sie nur lachen? Nebel senkte sich auf die Bäume, und die Schwestern verschwanden in diesem Nebel, immer noch lachend, losgelöst vom Leiden dieser Welt, als hätte ein längst vergangenes Edinburgh sie in seine geheimnisvollen Abgründe aufgenommen, und sie nahmen alles Lachen dieser Welt mit.

Mittlerweile war es fast dunkel, die Sonne nur noch ein blasser Schimmer hinter den dichten Wolken. Die religiösen Maler der Vergangenheit mussten solche Himmel gekannt haben, mussten mit ihnen von Tag zu Tag gelebt und die rötliche Verfärbung der Wolken als Zeichen von Gottes Gegenwart akzeptiert haben, als Ausfluss seiner schöpferischen Macht. Rebus war kein Maler. Seine Augen erkannten Schönheit nicht in der Realität, sondern im gedruckten Wort. Während er da im Warteraum stand, wurde ihm bewusst, dass er sein Leben lang Erfahrungen aus zweiter Hand – die Erfahrungen, die man gewinnt, wenn man die Gedanken eines anderen liest – über das wirkliche Leben gestellt hatte. Doch jetzt war er unerbittlich mit dem wirklichen Leben konfrontiert. Er war wieder bei den Fallschirmjägern, wieder bei der SAS, sein Gesicht ein Abbild purer Erschöpfung, sein Gehirn eine schmerzende Masse, jeder Muskel angespannt.

Als er merkte, dass er schon wieder anfing zu abstrahieren, stemmte er beide Hände gegen die Wand, als sollte er gefilzt werden. Sammy war irgendwo in der Hand eines Wahnsinnigen, und er erging sich in Elogen, Ausflüchten und Vergleichen. Das reichte nicht.

Im Flur hielt Gill ein wachsames Auge auf William Anderson. Ihm hatte man ebenfalls geraten, nach Hause zu gehen. Ein Arzt, der ihn auf Schock untersucht hatte, hätte ihn am liebsten ins Bett gepackt und über Nacht dabehalten.

»Ich rühre mich nicht von der Stelle«, hatte Anderson mit ruhiger Entschlossenheit gesagt. »Wenn das alles etwas mit John Rebus zu tun hat, dann will ich in der Nähe von John Rebus bleiben. Mit mir ist alles in Ordnung, ehrlich.« Aber es war gar nichts in Ordnung. Er war benommen, voller Reue und überhaupt etwas durcheinander. »Ich kann es nicht glauben«, erklärte er Gill. »Ich kann nicht glauben, dass diese ganze Sache nur ein Vorspiel für die Entführung von Rebus' Tochter war. Das ist absolut verrückt. Der Mann muss völlig gestört sein. John muss doch zumindest eine Ahnung haben, wer das sein könnte.«

Das fragte sich Gill Templer auch.

»Warum hat er uns nichts gesagt?«, fuhr Anderson fort. Und dann, ohne Vorwarnung und ohne jede Zurückhaltung wurde er wieder ganz Vater und fing leise an zu schluchzen. »Andy«, sagte er, »mein Andy.« Er begrub den Kopf in den Händen und gestattete Gill, einen Arm um seine verknitterten Schultern zu legen.

John Rebus beobachtete, wie die Dunkelheit hereinbrach,

und dachte über seine Ehe nach, über seine Tochter. Seine Tochter Sammy.

Für die, die zwischen den Zeiten lesen können.

Was war es, was er verdrängte? Was war es, was er vor vielen Jahren aus seinem Gedächtnis gestrichen hatte, als er an der Küste von Fife entlangspazierte, nachdem er den letzten Anfall nach seinem Nervenzusammenbruch gehabt hatte und die Tür zur Vergangenheit so fest schloss, als würde er sie einem Zeugen Jehovas vor der Nase zuknallen? Aber es war nicht so einfach. Der unerwünschte Besucher hatte den richtigen Zeitpunkt abgewartet und beschlossen, erneut in Rebus' Leben einzudringen. Den Fuß in der Tür. Der Tür zur Erkenntnis. Was brachte ihm seine ganze Leserei jetzt? Oder sein Glaube, schwach wie er war? Samantha. Sammy, seine Tochter. Lieber Gott, lass sie in Sicherheit sein. Lieber Gott, lass sie leben.

John, du musst wissen, wer es ist.

Aber er hatte den Kopf geschüttelt, hatte die Tränen in die Falten seiner Hose tropfen lassen. Er wusste es nicht, er wusste es nicht. Es war Mister Knoten. Es war Mister Kreuz. Die Namen sagten ihm nichts. Knoten und Kreuze. Man hatte ihm Knoten und Kreuze geschickt, Stücke Schnur und Streichhölzer und eine Menge Blödsinn, wie Jack Morton es genannt hatte. Das war alles. Lieber Gott.

Er ging in den Flur und sprach Anderson an, der vor ihm stand wie ein Wrack, das darauf wartete, aufgeladen und entsorgt zu werden. Und die beiden Männer gingen aufeinander zu und umarmten sich, schenkten sich gegenseitig Lebensmut – zwei alte Feinde, die plötzlich erkannten, dass sie trotz allem auf der gleichen Seite standen. Sie umarmten sich und sie weinten, ließen alles raus, was sie in sich aufgestaut hatten seit den Jahren, in denen sie Streife gegangen waren und gefühllos und unerschütterlich hatten erscheinen müssen. Nun war es heraus, sie waren menschliche Wesen wie alle anderen auch.

Und schließlich, nachdem man ihm versichert hatte, dass Rhona nur einen Schädelbruch erlitten hatte, und man ihn einen Augenblick in ihr Zimmer gelassen hatte, um zu beobachten, wie sie Sauerstoff einatmete, ließ Rebus sich nach Hause fahren. Rhona würde leben. Das war immerhin etwas. Andy Anderson hingegen lag irgendwo auf einem kalten Tisch, während Ärzte seine sterblichen Überreste untersuchten. Armer verfluchter Anderson. Armer Mann, armer Vater, armer Polizist. Jetzt wurde es alles sehr persönlich. Plötzlich war es eine größere Sache, als sie je erwartet hatten. Jemand hegte einen persönlichen Groll gegen ihn.

Endlich hatten sie eine Personenbeschreibung, wenn auch keine gute. Eine Nachbarin hatte den Mann gesehen, wie er die reglose Gestalt des Mädchens zum Auto trug. Ein helles Auto, hatte sie ihnen erklärt. Ein ganz normal aussehendes Auto. Ein ganz normal aussehender Mann. Nicht allzu groß, ein hartes Gesicht. Er hatte es sehr eilig. Sie konnte ihn nicht genau sehen.

Anderson würde von dem Fall abgezogen werden, Rebus ebenfalls. Ja, es war jetzt eine große Sache. Der Würger war in ein Haus gegangen, hatte dort gemordet. Er war zu weit gegangen. Die Zeitungs- und Kameraleute vor dem Krankenhaus wollten alles genauestens wissen. Superintendent Wallace hatte längst eine Pressekonferenz organisiert. Die Zeitungsleser, die Voyeure mussten alles darüber wissen. Es war *die* Sensation. Edinburgh war die Hauptstadt des Verbrechens in Europa. Der Sohn eines Chief Inspectors ermordet und die Tochter eines Detective Sergeants entführt, möglicherweise ebenfalls bereits ermordet.

Was konnte er anderes tun als dasitzen und auf einen weiteren Brief warten? In seiner Wohnung war er besser aufgehoben, ganz gleich wie dunkel und kahl sie auch erschien, wie sehr sie einer Zelle glich. Gill versprach, ihn nach der Pressekonferenz zu besuchen. Rein routinemäßig würde ein ziviles Polizeiauto vor seinem Mietshaus stehen, man konnte ja schließlich nicht wissen, wie persönlich der Würger die Sache noch werden lassen würde.

Was Rebus nicht wusste war, dass man inzwischen im Präsidium seine Akte überprüfte und seine Vergangenheit genau unter die Lupe nahm. Irgendwo darin musste der Würger stecken. Es musste einfach so sein.

Natürlich musste es so sein. Rebus wusste, dass er als Einziger den Schlüssel zu dem Fall besaß. Aber anscheinend lag dieser Schlüssel in einer Schublade verschlossen, zu der er selbst wiederum der Schlüssel war. Bisher konnte er an diesem weggeschlossenen Stück Vergangenheit nur rütteln.

Gill Templer hatte Rebus' Bruder angerufen, und obwohl John sie bestimmt dafür hassen würde, hatte sie Michael gebeten, sofort zu seinem Bruder nach Edinburgh zu kommen. Schließlich war er Rebus' einziger Verwandter. Er klang nervös am Telefon, nervös, aber besorgt. Und jetzt grübelte sie über die Sache mit dem Akrostichon nach. Der Professor hatte Recht gehabt. Man wollte versuchen, ihn noch heute Abend ausfindig zu machen, um mit ihm zu reden. Wiederum rein routinemäßig. Doch wenn der Würger alles so geplant hatte, dann musste er doch irgendwie eine Liste von Personen gehabt haben, aus der er sich die passenden Namen aussuchen konnte. Wie könnte er an so etwas herangekommen sein? War er vielleicht ein Angestellter im öffentlichen Dienst? Ein Lehrer? Jemand, der irgendwo still vor sich hin an einem Computerterminal arbeitete? Es gab viele Möglichkeiten, und sie würden sie alle nacheinander durchgehen. Gill wollte jedoch vorschlagen, dass man als Erstes jeden in Edinburgh vernahm, der Knott oder Cross hieß. Das war zwar ein Schuss ins Blaue, aber schließlich war bei diesem Fall bisher alles ziemlich chaotisch verlaufen.

Und dann kam die Pressekonferenz. Sie wurde, weil es gerade günstig war, im Verwaltungsgebäude des Krankenhauses abgehalten. Nur an der Rückwand des Saals waren noch Stehplätze frei. Gill Templers Gesicht, freundlich, aber ernst, war dem britischen Fernsehpublikum allmählich genauso vertraut wie das Gesicht jedes Nachrichtensprechers oder Reporters. Heute Abend würde allerdings der Superintendent das Reden übernehmen. Sie hoffte, er würde sich kurz fassen. Sie wollte zu Rebus. Und vielleicht noch dringender wollte sie mit seinem Bruder reden. Irgendwer musste doch über Johns Vergangenheit Bescheid wissen. Offenbar hatte er nie mit irgendwelchen Kollegen über seine Jahre bei der Armee gesprochen. Lag der Schlüssel dort verborgen? Oder in seiner Ehe? Gill hörte zu, wie der Super seine Rede abspulte. Kameras klickten, und der große Saal wurde immer verräucherter.

Und dort saß auch Jim Stevens, um dessen Mundwinkel ein Lächeln lag, als ob er etwas wüsste. Gill wurde nervös. Seine Augen waren auf sie gerichtet, obwohl er eifrig mitschrieb. Sie erinnerte sich an den katastrophalen Abend, den sie miteinander verbracht hatten, und an den sehr viel weniger katastrophalen Abend mit John Rebus. Warum war keiner der Männer in ihrem Leben je unkompliziert gewesen? Vielleicht weil Komplikationen sie anzogen. Doch dieser Fall wurde nicht komplizierter. Er wurde einfacher.

Jim Stevens, der nur mit halbem Ohr zuhörte, was der Vertreter der Polizei zu sagen hatte, dachte darüber nach, wie kompliziert diese Geschichte allmählich wurde. Rebus und Rebus, Drogen und Mord, anonyme Botschaften gefolgt von der Entführung der Tochter. Er musste wissen, was die Polizei ungeachtet der öffentlichen Darstellung wirklich glaubte, und er wusste, dass der beste Weg dahin über Gill Templer führte, im Austausch für ein paar Informationen. Wenn die Drogengeschichte und die Entführung miteinander in Verbindung standen, was vermutlich der Fall war, dann hatte einer der beiden Rebus-Brüder das Spiel vielleicht nicht nach den festgelegten Regeln gespielt. Vielleicht wusste Gill Templer etwas darüber.

Er kam hinter ihr her, als sie das Gebäude verließ. Sie wusste, dass er es war, aber ausnahmsweise wollte sie mit ihm reden.

»Hallo, Jim. Kann ich dich irgendwohin mitnehmen?«

Er beschloss, dass sie konnte. Sie könne ihn bei einer Kneipe absetzen, es sei denn, er könne Rebus kurz sehen. Er konnte nicht. Sie fuhren los.

»Diese Geschichte wird von Sekunde zu Sekunde bizarrer, findest du nicht?«

Sie konzentrierte ihren Blick auf die Straße und tat so, als würde sie über seine Frage nachdenken. In Wirklichkeit hoffte sie, er würde etwas mehr aus sich herausgehen und ihr Schweigen würde ihn zu der Annahme verleiten, dass sie ihm etwas vorenthielte, dass es etwas zu tauschen gäbe.

»Rebus scheint jedenfalls die Hauptfigur zu sein. Das ist interessant.«

Gill hatte das Gefühl, dass er gleich einen Trumpf ausspielen wollte.

»Ich meine«, fuhr er fort und zündete sich eine Zigarette an, »du hast doch nichts dagegen, wenn ich rauche?«

»Nein«, sagte sie ganz ruhig, obwohl sie innerlich kochte.

»Danke. Ich meine, das ist interessant, weil ich bereits an einer anderen Geschichte arbeite, in der Rebus eine Rolle spielt.«

Sie musste an einer roten Ampel anhalten, starrte jedoch weiter durch die Windschutzscheibe.

»Würde dich diese andere Geschichte interessieren, Gill?«

Interessierte es sie? Und ob. Aber was könnte sie ihm dafür ...

»Ja, ein sehr interessanter Mann, dieser Mister Rebus. Und auch sein Bruder.«

»Sein Bruder?«

»Ja, du weißt doch, Michael Rebus, der Hypnotiseur. Ein interessantes Brüderpaar.«

»Ach?«

»Na komm schon, Gill, lass uns mit dem Scheiß aufhören.«

»Ich hatte gehofft, du würdest das tun.« Sie legte einen Gang ein und fuhr wieder los.

»Ermittelt ihr wegen irgendwas gegen Rebus? Das will ich

wissen. Ich meine, ob ihr in Wirklichkeit wisst, wer hinter dieser ganzen Geschichte steckt, und es nur nicht zugebt?«

Jetzt drehte sie ihm den Kopf zu.

»So läuft das nicht, Jim.«

Er schnaubte verächtlich.

»Vielleicht bei dir nicht, Gill, aber tu bloß nicht so, als käme so was nicht vor. Ich hab mich doch nur gefragt, ob du irgendwelche Gerüchte von oben gehört hast. Vielleicht in der Art, dass jemand Mist gebaut hat, indem er die Dinge so weit hat kommen lassen.«

Jim Stevens beobachtete ihr Gesicht sehr genau, warf mit Ideen und vagen Theorien um sich, in der Hoffnung, dass sie irgendwo anbeißen würde. Doch sie schien den Köder nicht zu schlucken. Na schön. Vielleicht wusste sie ja wirklich nichts. Das hieß allerdings nicht unbedingt, dass seine Theorien falsch waren. Es könnte auch einfach bedeuten, dass einiges auf einer höheren Ebene ablief als der, auf der Gill Templer und er operierten.

»Jim, was *glaubst* du denn über John Rebus zu wissen? Das könnte nämlich wichtig sein. Wir könnten dich zum Verhör holen, wenn wir annehmen, dass du wichtige Informationen zurückhältst ...«

Jim Stevens machte ein missbilligendes Geräusch und schüttelte den Kopf.

»Wir wissen doch, dass das nicht geht, oder? Ich meine, das geht nicht so ohne weiteres.«

Sie sah ihn erneut an.

»Ich könnte einen Präzedenzfall schaffen«, sagte sie.

Er starrte sie an. Ja, das könnte sie vielleicht.

»Hier kannst du mich rauslassen«, sagte er und zeigte aus dem Fenster. Etwas Asche fiel von seiner Zigarette auf die Krawatte. Gill hielt an und beobachtete, wie er ausstieg. Bevor er die Tür zuwarf, lehnte er sich noch einmal ins Auto.

»Ich bin jederzeit zu einem Tausch bereit, wenn du mitmachst. Du kennst ja meine Telefonnummer.«

Ja, sie kannte seine Telefonnummer. Die hatte er ihr vor langer Zeit einmal aufgeschrieben, vor so langer Zeit, dass sie beide jetzt auf unterschiedlichen Seiten standen, dass sie ihn kaum noch verstehen konnte. Was wusste er über John? Und über Michael? Während sie zu Rebus' Wohnung fuhr, hoffte sie, es dort herauszufinden.

XXI

John Rebus las einige Seiten in seiner Bibel, legte sie jedoch weg, als er merkte, dass er überhaupt nichts aufnahm. Stattdessen betete er und kniff dabei die Augen fest zusammen. Dann ging er in der Wohnung herum und berührte alle möglichen Dinge. Das hatte er auch vor seinem ersten Nervenzusammenbruch getan. Jetzt hatte er jedoch keine Angst. Möge das Unvermeidliche kommen, möge alles auf ihn zukommen. Er hatte keine Kraft mehr, sich zu wehren. Er nahm den Willen seines missgünstigen Schöpfers einfach nur noch passiv hin.

Es klingelte an der Tür. Er machte nicht auf. Sie würden fortgehen, und er würde mit seinem Schmerz wieder allein sein, mit seiner ohnmächtigen Wut und seinen verstaubten Besitztümern. Es klingelte erneut, diesmal beharrlicher. Fluchend ging er zur Tür und riss sie auf. Michael stand da.

»John«, sagte er, »ich bin so schnell gekommen, wie ich konnte.«

»Mickey, was machst du hier?« Er führte seinen Bruder in die Wohnung.

»Eine Frau hat mich angerufen. Sie hat mir alles erzählt. Das ist ja furchtbar, John. Einfach furchtbar.« Er legte Rebus eine Hand auf die Schulter. Rebus empfand ein Prickeln, und ihm wurde bewusst, wie lange es her war, dass er die Berührung eines menschlichen Wesens gespürt hatte, eine mitfühlende, brüderliche Berührung. »Draußen wurde ich von zwei Gorillas abgefangen. Die scheinen ja gut auf dich aufzupassen.«

»Reine Routinesache«, sagte Rebus.

Es mochte ja eine Routinesache sein, aber Michael wusste verdammt gut, wie schuldbewusst er ausgesehen hatte, als die beiden sich auf ihn stürzten. Er hatte sich schon über den Anruf gewundert und überlegt, ob es vielleicht eine Falle war. Deshalb hatte er die Lokalnachrichten im Radio gehört. Es hatte tatsächlich eine Entführung und einen Mord gegeben. Es war also wahr. Also war er hierher gefahren, in die Höhle des Löwen, obwohl er wusste, dass er sich von seinem Bruder fernhalten sollte, obwohl er wusste, dass sie ihn umbringen würden, wenn sie es herausfanden. Außerdem hatte er sich gefragt, ob die Entführung etwas mit ihm zu tun haben könnte. War es eine Warnung an beide Brüder? Er wusste es nicht. Doch als diese beiden Gorillas in dem düsteren Treppenhaus auf ihn zukamen, da hatte er geglaubt, das Spiel sei aus. Zuerst hielt er sie für Gangster, die auf ihn angesetzt waren. Dann glaubte er, es wären Polizisten, die ihn verhaften wollten. Doch nein, es war eine reine »Routinesache«.

»Du sagst, eine Frau hätte dich angerufen? Hast du ihren Namen mitbekommen? Na, auch egal. Ich weiß sowieso, wer es war.«

Sie setzten sich ins Wohnzimmer. Michael zog seine Lammfelljacke aus und zauberte aus einer der Taschen eine Flasche Whisky hervor.

»Meinst du, das hilft?«, fragte er.

»Es kann jedenfalls nichts schaden.«

Während Rebus in der Küche Gläser holte, inspizierte Michael das Wohnzimmer.

»Das ist eine schöne Wohnung«, rief er.

»Nun ja, ein bisschen groß für meine Bedürfnisse«, sagte Rebus. Ein ersticktes Geräusch kam aus der Küche. Michael ging darauf zu und stellte fest, dass sein großer Bruder über das Becken gebeugt stand und heftig, aber leise weinte.

»John«, sagte Michael und nahm Rebus in die Arme, »ist schon gut. Es wird alles wieder gut.« Er spürte, wie Schuldgefühle in ihm aufstiegen.

Rebus tastete nach einem Taschentuch, und als er es gefunden hatte, schnaubte er kräftig hinein und wischte sich die Augen.

»Du hast gut reden.« Er schniefte und versuchte zu lächeln. »Du bist ein Heide.«

Sie tranken den Whisky zur Hälfte leer, saßen zurückgelehnt in ihren Sesseln und betrachteten schweigend die düstere Decke über ihnen. Rebus' Augen waren rot umrandet und seine Lider brannten. Ab und zu schniefte er und rieb sich mit dem Handrücken über die Nase. Michael kam es so vor, als wären sie wieder Kinder, bloß diesmal mit vertauschten Rollen. Nicht dass sie sich je besonders nahe gewesen wären, aber Sentimentalität siegte stets über Realität. Natürlich erinnerte er sich, wie John für ihn die eine oder andere Prügelei auf dem Spielplatz ausgetragen hatte. Erneut überkam ihn ein Gefühl der Schuld. Er zitterte leicht. Er musste aus diesem Geschäft aussteigen, aber vielleicht steckte er schon zu tief drin, und wenn er John, ohne es zu wollen, in die Sache hineingezogen hatte ... Das war gar nicht auszudenken. Er musste mit dem Boss reden, ihm die Sache erklären. Aber wie? Er hatte keine Adresse oder Telefonnummer. Der Boss rief immer ihn an, niemals umgekehrt. Alles kam ihm plötzlich grotesk vor. Wie in einem Alptraum.

»Wie hat dir die Show neulich abends gefallen?«

Rebus musste sich zwingen, sich daran zu erinnern, an die stark parfürmierte, einsame Frau, an seine Finger um ihren Hals, die Szene, die den Anfang von seinem Ende signalisiert hatte.

»Das war ganz interessant.« War er nicht eingeschlafen? Egal.

Erneutes Schweigen. Ab und zu fuhr draußen ein Auto vorbei. Etwas weiter entfernt war das Gebrüll von Betrunkenen zu hören.

»Die meinen, es wär jemand, der eine Rechnung mit mir zu begleichen hat«, sagte er schließlich.

»Ach? Und stimmt das?«

»Ich weiß es nicht. Es sieht ganz so aus.«

»Aber das müsstest du doch *wissen*?«

Rebus schüttelte den Kopf.

»Das ist das Problem, Mickey. Ich kann mich nicht erinnern.«

Michael richtete sich in seinem Sessel auf.

»Woran genau kannst du dich nicht erinnern?«

»Irgendwas. Ich weiß nicht. Einfach irgendwas. Wenn ich es wüsste, dann *könnte* ich mich ja erinnern. Aber da ist ein Loch. Ich weiß, dass es da ist. Ich weiß, dass es da etwas gibt, woran ich mich erinnern sollte.«

»Etwas aus deiner Vergangenheit?« Michael war jetzt ganz hellhörig. Vielleicht hatte das alles ja doch nichts mit ihm zu tun. Vielleicht hatte es alles mit etwas ganz anderem zu tun, mit jemand anderem. Er fasste wieder Hoffnung.

»Ja, etwas aus meiner Vergangenheit. Aber ich kann mich nicht erinnern.« Rebus rieb sich die Stirn, als ob sie eine Kristallkugel wäre. Michael wühlte in seiner Tasche herum.

»Ich kann dir helfen, dich zu erinnern, John.«

»Wie?«

»Damit.« Michael hielt eine silberne Münze zwischen Daumen und Zeigefinger hoch. »Ich hab dir doch erzählt, dass ich tagtäglich Patienten in frühere Leben zurückversetze. Dann sollte es nicht allzu schwer sein, dich in deine *wirkliche* Vergangenheit zurückzuversetzen.«

Nun richtete sich John Rebus kerzengerade auf und schüttelte den Whiskydunst von sich.

»Na dann los«, sagte er. »Was muss ich tun?« Doch irgendetwas in seinem Inneren sagte: *du willst das gar nicht, du willst das gar nicht wissen.*

Er wollte es wissen.

Michael kam zu seinem Sessel herüber.

»Leg dich zurück. Ganz bequem. Trink nichts mehr von dem Whisky. Aber denk dran, nicht jeder ist für Hypnose empfänglich. Zwing dich zu nichts. Geh es ganz locker an. Wenn es funktioniert, dann funktioniert es, ob du willst oder nicht. Entspann dich einfach, John, entspann dich.«

Es klingelte an der Tür.

»Lass es klingeln«, sagte Rebus, aber Michael hatte bereits den Raum verlassen. Erst waren Stimmen im Flur zu hören, dann kam Michael mit Gill zurück ins Zimmer.

»Die Anruferin, nehme ich an«, sagte Michael.

»Wie geht es dir, John?« Ihr Gesicht war äußerst besorgt.

»Gut. Gill, das ist mein Bruder Michael, der Hypnotiseur. Er wird mich jetzt in Trance versetzen – so nennst du das doch, Mickey? –, um diese merkwürdige Blockade in meinem Gedächtnis zu beseitigen. Vielleicht solltest du dich bereithalten, um eventuell ein paar Notizen zu machen.«

Gill sah von einem Bruder zum anderen. Sie fühlte sich ein wenig ausgeschlossen. Ein interessantes Brüderpaar. Das hatte Jim Stevens gesagt. Sie arbeitete ununterbrochen seit sechzehn Stunden, und nun das hier. Doch sie lächelte und zuckte die Achseln.

»Kann ich erst was zu trinken kriegen?«

Nun lächelte John Rebus. »Bedien dich«, sagte er. »Es gibt Whisky oder Whisky und Wasser oder Wasser. Komm, Mickey. Lass uns loslegen. Sammy ist irgendwo da draußen. Vielleicht ist ja noch genügend Zeit.«

Michael spreizte die Beine ein wenig und beugte sich über Rebus. Er schien seinen Bruder verspeisen zu wollen. Seine Augen waren ganz nah an Rebus, sein Mund bewegte sich spiegelbildlich. So sah es zumindest für Gill aus, die sich gerade einen Whisky einschenkte. Michael hielt die Münze hoch und versuchte, den richtigen Winkel zu der einzigen schwachen Glühbirne im Raum zu finden. Schließlich spiegelte sich ihr Funkeln auf Johns Netzhaut wider, die Pupillen weiteten sich und zogen sich wieder zusammen. Michael hatte das sichere Gefühl, dass sein Bruder für Hypnose empfänglich war. Er hoffte es jedenfalls.

»Hör mir genau zu, John. Hör auf meine Stimme. Beobachte die Münze, John. Beobachte, wie sie leuchtet und sich dreht. Sieh, wie sie sich dreht. Kannst du sehen, wie sie sich dreht, John? Jetzt entspann dich und hör mir einfach zu. Und beobachte, wie die Münze sich dreht, wie sie leuchtet.«

Einen Augenblick lang sah es so aus, als würde Rebus nicht in Trance verfallen. Vielleicht machten ihn die Familienbande immun gegen die Stimme, gegen ihre suggestive Kraft. Doch dann sah Michael, dass die Augen sich ein wenig, für den Laien nicht wahrnehmbar, veränderten. Aber er verstand seine Kunst. Sein Vater hatte ihn gründlich darin unterwiesen. Sein Bruder war jetzt in einer Zwischenwelt. Gefangen im Licht der Münze konnte Michael ihn überall hinversetzen, ganz wie er wollte. Er war in seiner Gewalt. Wie immer spürte Michael, wie ihn ein Schauder durchfuhr. Dies war Macht, absolute und unbedingte Macht. Er konnte alles mit seinen Patienten machen, einfach alles.

»Michael«, flüsterte Gill, »fragen Sie ihn, warum er die Armee verlassen hat.«

Michael schluckte, um seine Kehle zu befeuchten. Ja, das war ein gute Frage. Eine, die er John immer schon selbst hatte stellen wollen.

»John?«, sagte er. »John? Warum hast du die Armee verlassen? Erzähl es uns.«

Und langsam, als müsse er Worte verwenden, die ihm unbekannt oder fremd waren, begann Rebus seine Geschichte zu erzählen. Gill eilte zu ihrer Handtasche, um Notizblock und Stift zu holen. Michael trank seinen Whisky.

Sie hörten zu.

TEIL VIER

Das Kreuz

XXII

Ich war seit meinem achtzehnten Lebensjahr beim Fallschirmjäger-Regiment. Doch dann beschloss ich, mich für den SAS zu bewerben. Warum ich das getan habe? Warum überhaupt ein Soldat ein niedriges Gehalt hinnehmen sollte, um Angehöriger des SAS zu werden? Ich weiß es nicht. Ich erinnere mich nur noch, dass ich plötzlich im SAS-Trainingslager in Herefordshire war. Ich nannte es Das Kreuz, weil man mir gesagt hatte, dass sie dort versuchen würden, mich zu kreuzigen. Und zusammen mit anderen Freiwilligen ging ich dort durch die Hölle – marschieren und trainieren bis zum Umfallen und behandelt werden wie der letzte Dreck. Sie machten so lange weiter, bis sie uns gebrochen hatten. Sie lehrten uns, tödlich zu sein.

Zu der Zeit gab es Gerüchte, in Ulster stünde ein Bürgerkrieg bevor und dass man den SAS einsetzen wollte, um die Aufständischen mit Stumpf und Stiel auszurotten. Der Tag kam, an dem wir unsere Rangabzeichen erhalten sollten. Wir bekamen neue Uniformmützen mit diesen Rangabzeichen. Wir waren in der SAS. Aber das war noch nicht alles. Gordon Reeve und ich wurden in das Büro vom Boss bestellt, wo man uns erklärte, wir hätten von allen Rekruten in unserer Truppe am besten abgeschnitten. Wir hätten zwar noch zwei Jahre Ausbildung vor uns, bevor wir Berufssoldaten werden könnten, aber man sagte uns große Dinge voraus.

Als wir das Gebäude verließen, sprach Reeve mich an.

»Hör mal«, sagte er, »ich hab da so ein paar Gerüchte gehört. Ich hab gehört, was die Offiziere reden. Sie haben mit uns Pläne. *Pläne*. Denk an meine Worte.«

Wochen später steckte man uns in einen Überlebenskurs. Wir wurden von anderen Regimentern gejagt, die, sollten sie uns erwischen, vor nichts zurückschrecken würden, um Informationen über unseren Auftrag aus uns herauszuholen. Um zu essen, mussten wir Fallen stellen und jagen. Tagsüber mussten wir uns verstecken und nachts durch raues Moorland marschieren. Es hatte zunächst so ausgesehen, als sollten nur wir beide diese Tests machen, aber bei der Sache arbeiteten wir mit zwei weiteren Männern zusammen.

»Die haben für uns noch was ganz Besonderes vorgesehen«, sagte Reeve immer wieder. »Das spüre ich.«

Wir hatten ein Biwak aufgeschlagen und uns gerade für zwei Stunden in die Schlafsäcke verkrochen, als unser Wächter seine Nase in den Unterschlupf steckte.

»Ich weiß nicht, wie ich euch das schonend beibringen soll«, sagte er, dann waren plötzlich überall Lichter und Waffen, unser Unterschlupf wurde auseinander gerissen, und wir wurden halb bewusstlos geschlagen. Ausländische Stimmen redeten auf uns ein. Die Gesichter waren hinter den Taschenlampen verborgen. Ein Schlag mit einem Gewehrkolben in die Nieren sagte mir, dass die Situation real war. *Ganz real*.

Die Zelle, in die man mich warf, war mit Blut, Fäkalien und sonstigem vollgeschmiert. Sie enthielt eine stinkende Matratze und einen Kakerlak. Sonst nichts. Ich legte mich auf die feuchte Matratze und versuchte zu schlafen, da ich wusste, dass sie uns als erstes am Schlafen hindern würden.

Plötzlich gingen die hellen Lichter in der Zelle an und blieben an, brannten in meinen Schädel. Dann begannen die Geräusche, als ob jemand in der Zelle neben mir zusammengeschlagen und verhört wurde.

»Lasst ihn in Ruhe, ihr Schweine! Ich reiß euch eure scheiß

Köpfe ab!« Ich hämmerte mit Fäusten und Stiefeln gegen die Wand, und der Lärm hörte auf. Eine Zellentür schlug zu, und ein Körper wurde an der Metalltür meiner Zelle vorbeigeschleift, dann war Stille. Ich wusste, dass ich auch noch drankommen würde.

Ich wartete, wartete Stunden und Tage, hungrig und durstig, und jedes Mal, wenn ich die Augen schloss, erschallte ein Geräusch, als ob ein laut plärrendes Radio zwischen zwei Sendern festhing, von Wänden und Decke. Ich lag da und presste mir die Hände an die Ohren.

Scheiße, Scheiße, Scheiße.

Sie wollten, dass ich zusammenbrach, und wenn ich zusammenbrach, wäre alles umsonst gewesen, das ganze monatelange Training. Also sang ich laut irgendwelche Melodien vor mich hin. Ich kratzte mit den Fingernägeln über die Zellenwände, die von Pilzbefall ganz feucht waren, und ritzte meinen Namen als Anagramm ein: BRUSE. Ich spielte in Gedanken Spiele, dachte mir Kreuzworträtselfragen aus und kleine sprachliche Tricks. Ich verwandelte Überleben in ein Spiel. Ein Spiel, ein Spiel, ein Spiel. Ganz gleich, wie schlimm die Dinge sich zu entwickeln schienen, ich musste mich immer wieder daran erinnern, dass das alles ein Spiel war.

Und ich dachte an Reeve, der mich davor gewarnt hatte. Große Pläne, in der Tat. In der ganzen Einheit war Reeve derjenige, den ich am ehesten als meinen Freund bezeichnet hätte. Ich fragte mich, ob es sein Körper gewesen war, den man über den Gang geschleift hatte. Ich betete für ihn.

Und eines Tages schickten sie mir was zu essen und einen Becher mit braunem Wasser. Das Essen sah aus, als stammte es aus einer Schlammgrube. Es wurde durch ein kleines Loch geschoben, das plötzlich in meiner Tür erschien und genauso schnell wieder verschwand. Ich redete mir ein, dieser kalte Fraß wäre ein Steak mit zwei verschiedenen Gemüsen, und schob einen Löffel davon in meinen Mund. Sofort spuckte ich alles wieder aus. Das Wasser schmeckte nach Eisen. Demonstrativ wischte ich mir das Kinn am Ärmel ab. Ich war mir sicher, dass ich beobachtet wurde.

»Kompliment an den Koch«, rief ich.

Ich weiß nur noch, dass ich kurz darauf eingeschlafen sein musste.

Ich war in der Luft. Daran gab es überhaupt keinen Zweifel. Ich war in einem Hubschrauber, und der Wind blies mir ins Gesicht. Ganz langsam kam ich zu mir, und als ich die Augen öffnete, war um mich alles dunkel. Mein Kopf steckte in einer Art Sack, und meine Arme waren auf dem Rücken gefesselt. Ich spürte, wie der Hubschrauber abtauchte, wieder hochging und wieder abtauchte.

»Bist du wach?« Ein Gewehrkolben stieß mich heftig.

»Ja.«

»Gut. Dann nenn mir den Namen deines Regiments und sag mir, was für einen Auftrag du hast. Wir werden nicht viel Geschiss mit dir machen, Sonny. Also rückst du's am besten gleich raus.«

»Leck mich.«

»Ich hoffe, du kannst schwimmen, Sonny. Ich hoffe, du kriegst überhaupt die *Chance* zu schwimmen. Wir sind etwa siebzig Meter über der Irischen See, und wir werden dich mit gefesselten Händen aus diesem scheiß Hubschrauber schmeißen. Du wirst auf dem Wasser aufknallen, als wär's Beton. Kannst du dir das vorstellen? Entweder es bringt dich gleich um oder es betäubt dich. Dann werden dich die Fische bei lebendigem Leib fressen, Sonny. Und hier draußen wird deine Leiche niemals gefunden. Verstehst du, was ich sage?«

Es war eine offizielle und ganz sachliche Stimme.

»Ja.«

»Gut. Nenn mir jetzt dein Regiment und deinen Auftrag.«

»Leck mich.« Ich versuchte, ganz ruhig zu klingen. Ich wäre ein weiterer Unfall in der Statistik, bei einer militärischen Übung ums Leben gekommen, keine weiteren Fragen.

Ich würde auf dem Meer aufschlagen wie ein Glühbirne, die gegen eine Wand knallt.

»Leck mich«, sagte ich noch einmal und redete mir dann ein: es ist nur ein Spiel, es ist nur ein Spiel.

»He du, das ist kein Spiel. Nicht mehr. Deine Freunde haben bereits alles ausgespuckt. Einer von ihnen, Reeve glaube ich, hat im wahrsten Sinne des Wortes sein ganzes Gedärm ausgeschissen. Okay, Männer, ab geht's.«

»Wartet ...«

»Viel Spaß beim Schwimmen, Rebus.«

Hände packten mich an Körper und Beinen. In dem dunklen Sack und bei dem Wind, der heftig gegen mich peitschte, wurde mir klar, dass das Ganze ein schwerer Fehler gewesen war. »Wartet ...«

Ich spürte, wie ich in der Luft hing, siebzig Meter über dem Meer, und die Möwen schrien, man solle mich endlich fallen lassen. »Wartet!«

»Ja, Rebus?«

»Nehmt mir zumindest den verdammten Sack vom Kopf!« Mittlerweile schrie ich verzweifelt.

»Lasst den Kerl fallen.«

Und damit ließen sie mich los. Eine Sekunde lang hing ich in der Luft, dann fiel ich hinab wie ein Stein. Zusammengebunden wie eine Weihnachtsgans sauste ich nach unten. Ich schrie eine Sekunde lang, vielleicht auch zwei, dann traf ich am Boden auf.

Ich traf auf festen Boden.

Und lag dort, während der Hubschrauber landete. Um mich herum war Gelächter. Die ausländischen Stimmen waren wieder da. Man hob mich an und schleifte mich zu der Zelle. Ich war froh, dass ich den Sack über dem Kopf hatte. So konnte keiner sehen, dass ich weinte. Im Innern war ich nur noch ein Bündel vibrierender Nervenstränge. Angst, Adrenalin und Erleichterung fuhren wie winzige Schlangen durch meine Leber, meine Lunge und mein Herz.

Die Tür knallte hinter mir zu. Dann hörte ich ein schlurfendes Geräusch in meinem Rücken. Hände machten sich an den Knoten meiner Fesseln zu schaffen. Selbst als die Kapuze entfernt wurde, dauerte es noch einige Sekunden, bis ich wieder sehen konnte.

Ich starrte in ein Gesicht, das mir wie mein eigenes vorkam. Ein weiterer Trick in dem Spiel. Dann erkannte ich Gordon Reeve – im gleichen Augenblick, in dem er auch mich erkannte.

»Rebus?«, sagte er. »Die haben mir erzählt, du hättest …«

»Das Gleiche haben sie mir von dir erzählt. Wie geht's dir?«

»Ganz gut. Gott, wie ich mich freue, dich zu sehen.«

Wir umarmten uns, spürten den geschwächten, aber immer noch menschlichen Körper des anderen, nahmen den Geruch von Qual und Durchhaltewillen wahr. Reeve hatte Tränen in den Augen.

»Du bist es wirklich«, sagte er. »Ich träume nicht.«

»Lass uns uns hinsetzen«, sagte ich. »Meine Beine sind nicht allzu stabil.«

Eigentlich meinte ich, dass seine Beine nicht allzu stabil waren. Er stützte sich auf mich wie auf eine Krücke. Dankbar setzte er sich hin.

»Wie ist es dir ergangen?«, fragte ich.

»Eine Weile hab ich versucht, mich fit zu halten.« Er schlug sich auf ein Bein. »Liegestütze und so Zeug. Aber schon bald wurde ich zu müde dazu. Sie haben mir Halluzinogene ins Essen gemischt. Ich sehe immer noch komische Sachen, wenn ich wach bin.«

»Bei mir haben sie es mit K.o.-Tropfen versucht.«

»Diese Drogen, das ist eine Sache. Und dann der Feuerwehrschlauch. Ich werde so etwa einmal am Tag abgesprüht. Eiskalt. Man scheint gar nicht wieder trocken zu werden.«

»Was glaubst du, wie lange wir schon hier sind?« Sah ich für ihn genauso schlimm aus wie er für mich? Ich hoffte nicht. Er hatte den Sturz aus dem Hubschrauber nicht erwähnt. Ich beschloss, darüber zu schweigen.

»Zu lange«, sagte er. »Das hier ist absolut lächerlich.«

»Du hast immer gesagt, dass die was Besonderes mit uns vorhaben. Ich habe dir nicht geglaubt. Gott verzeih mir.«

»An so etwas hatte ich allerdings auch nicht gedacht.«

»Aber zweifellos sind die speziell an uns beiden interessiert.«

»Wie meinst du das?«

Bisher war das nur ein vager Gedanke gewesen, aber nun war ich mir sicher.

»Als unser Wächter in jener Nacht seine Nase in den Unterschlupf steckte, schien er nicht überrascht und schon gar nicht verängstigt. Ich glaube, die beiden waren von Anfang an eingeweiht.«

»Und was soll das alles?«

Ich betrachtete ihn, wie er da saß, das Kinn auf die Knie gestützt. Von außen waren wir zerbrechliche Wesen. Wir hatten Hämorriden, die brannten, als würden Vampire ihre hungrigen Zähne hineinschlagen, unsere Münder waren wund und voller schmerzhafter Geschwüre. Uns fielen die Haare aus, die Zähne wurden locker. Doch das Zusammensein verlieh uns Kraft. Und genau das konnte ich nicht verstehen. Warum hatten die uns zusammengelegt, wo wir beide doch, getrennt von einander, kurz vor dem Zusammenbruch stünden?

»Also, was soll das?«

Vielleicht versuchten sie, uns in einem falschen Gefühl von Sicherheit zu wiegen, bevor sie die Schrauben richtig fest anziehen. »Das Ärgste ist noch nicht, so lang man noch sagen kann, das ist das Ärgste.« Shakespeare, *King Lear.* Ich konnte das damals noch nicht wissen, aber heute weiß ich es. Lassen wir es einfach so stehen.

»Ich weiß nicht«, sagte ich. »Sie werden es uns wohl sagen, wenn sie glauben, dass der richtige Zeitpunkt gekommen ist.«

»Hast du Angst?«, fragte er plötzlich. Seine Augen starrten auf unsere rot gestrichene Zellentür.

»Vielleicht.«

»Du solltest verdammt noch mal Angst haben, Johnny. Ich habe jedenfalls welche. Ich erinnere mich, als Kind hab ich mal mit ein paar anderen an einem Fluss gespielt, der in der Nähe unserer Wohnsiedlung war. Er führte Hochwasser. Es hatte seit einer Woche ununterbrochen gepisst. Es war kurz nach dem Krieg, und um uns herum waren eine Menge zerstörter Häuser. Wir gingen flussaufwärts und kamen an ein Abwasserrohr. Ich hab immer mit älteren Kindern gespielt. Ich weiß nicht warum. Immer war ich das Opfer bei ihren scheiß Spielen, trotzdem blieb ich bei ihnen. Vermutlich machte es mir Spaß, mich mit Kindern herumzutreiben, vor denen die anderen Jungs in meinem Alter eine Heidenangst hatten. Denn obwohl mich die älteren Kinder wie ein Stück Scheiße behandelten, gab mir das Macht über die jüngeren. Verstehst du das?«

Ich nickte, aber er sah mich gar nicht an.

»Dieses Rohr war nicht sehr dick, aber es war lang und es lag hoch über dem Fluss. Sie wollten, dass ich als Erster darüber ging. Mein Gott, hatte ich eine Angst. Ich hatte so einen Schiss, dass meine Beine anfingen zu zittern und ich auf halbem Weg erstarrte. Und dann lief mir die Pisse unter meinen Shorts hervor die Beine runter. Sie sahen das und fingen an zu lachen. Sie haben mich ausgelacht, und ich konnte mich nicht von der Stelle rühren, nicht weglaufen. Also ließen sie mich da stehen und gingen fort.«

Ich dachte an das Gelächter, als man mich vom Hubschrauber wegschleifte.

»Ist dir so was als Kind jemals passiert, Johnny?«

»Ich glaube nicht.«

»Warum zum Teufel bist du dann zum Militär gegangen?«

»Um von zu Hause fortzukommen. Ich hab mich mit meinem Vater nicht verstanden. Er zog meinen jüngeren Bruder vor. Ich fühlte mich ausgeschlossen.«

»Ich hatte nie einen Bruder.«

»Ich auch nicht, jedenfalls nicht im eigentlichen Sinne. Ich hatte einen Widersacher.«

Ich hole ihn jetzt wieder zurück
wagen Sie das bloß nicht
Das bringt doch alles nichts
machen Sie weiter

»Was war dein Vater von Beruf, Johnny?«

»Hypnotiseur. Er ließ Leute auf die Bühne kommen und brachte sie dazu, unsinnige Dinge zu tun.«

»Du machst Witze!«

»Nein, es ist wahr. Mein Bruder wollte in seine Fußstapfen treten, aber ich nicht. Also setzte ich mich ab. Sie waren nicht gerade traurig, mich gehen zu sehen.«

Reeve kicherte.

»Wenn man uns zum Verkauf anbieten würde, müsste ›leicht angeschmutzt‹ auf dem Preisschild stehen, was, Johnny?«

Ich fing an zu lachen, lachte länger und lauter als nötig gewesen wäre, und wir legten jeder einen Arm um den anderen und ließen ihn auch da, um uns zu wärmen.

Wir schliefen Seite an Seite, verrichteten unsere Notdurft in der Gegenwart des anderen, versuchten, zusammen ein bisschen Sport zu machen, spielten kleine Gedächtnisspiele miteinander und harrten miteinander aus.

Reeve besaß ein Stück Schnur. Er wickelte es immer wieder neu auf und machte die Knoten hinein, die wir in der Ausbildung gelernt hatten. Das veranlasste mich, ihm die Bedeutung des Gordischen Knotens zu erklären. Er fuchtelte mit einem kleinen Kreuzknoten vor mir herum.

»Gordischer Knoten, Kreuzknoten. Gordon hat schon sein liebes Kreuz mit den Knoten.«

Das war wieder etwas, worüber wir lachen konnten.

Außerdem spielten wir Nullen und Kreuze, kratzten die Spiele mit den Fingernägeln in die bröckeligen Wände unserer Zelle. Reeve zeigte mir einen Trick, mit dem man zumindest ein Unentschieden erreichen konnte. Davor hatten wir bestimmt an die dreihundert Spiele gemacht, von denen Reeve zwei Drittel gewonnen hatte. Der Trick war ganz einfach.

»Du setzt dein erstes O links oben in die Ecke und das zweite diagonal dazu. Das ist eine unschlagbare Position.«

»Und was ist, wenn der Gegner sein erstes X diagonal zu diesem ersten O setzt?«

»Dann kannst du immer noch gewinnen, wenn du auf die anderen Ecken setzt.«

Reeve schien das aufzuheitern. Er tanzte durch die Zelle, dann starrte er mich plötzlich mit einem anzüglichen Grinsen an. »Du bist wie der Bruder, den ich nie hatte, John.« Im gleichen Augenblick nahm er meine Hand, ritzte mit dem Fingernagel in die Haut der Handfläche und machte das Gleiche bei sich. Wir legten die Hände gegeneinander und rieben das Blut hin und her.«

»Blutsbrüder«, sagte Gordon lächelnd.

Ich lächelte zurück. Mir war klar, dass er viel zu abhängig von mir geworden war und nicht zurecht kommen würde, wenn sie uns trennen würden.

Dann kniete er sich vor mich hin und drückte mich noch einmal an sich.

Gordon wurde immer rastloser. Er machte jeden Tag fünfzig Liegestütze, was angesichts unserer kargen Kost phänomenal war. Und er summte kleine Melodien vor sich hin. Die positive Wirkung, die meine Gesellschaft zunächst auf ihn hatte, schien nachzulassen. Er ließ sich wieder treiben. Also fing ich an, ihm Geschichten zu erzählen.

Zuerst redete ich über meine Kindheit und über die Tricks meines Vaters, dann begann ich, ihm richtige Geschichten zu erzählen. Ich gab ihm die Handlung meiner Lieblingsbücher wieder. Schließlich war es an der Zeit, ihm die Geschichte von Raskolnikow zu erzählen, die moralischste Geschichte überhaupt, *Schuld und Sühne*. Er hörte gebannt zu, und ich versuchte, es so lange wie möglich auszuspinnen. Ich erfand einige Teile, dachte mir ganze Dialoge und Figuren aus. Und als ich fertig war, sagte er. »Erzähl es mir noch einmal.«

Das tat ich.

»Und war das alles unvermeidlich, John?« Reeve hockte auf den Fersen und strich mit den Fingern über den Zellenboden. Ich lag auf der Matratze.

»Ja«, sagte ich. »Ich glaube, das war es. Jedenfalls ist es so geschrieben. Das Ende des Buches steht schon fest, noch bevor es so richtig angefangen hat.«

»Ja, das Gefühl hatte ich auch.«

Es entstand eine längere Pause, dann räusperte er sich.

»Was ist deine Vorstellung von Gott, John? Das würde ich wirklich gern wissen.«

Also erklärte ich es ihm. Ich illustrierte meine abwegigen Vorstellungen mit kleinen Geschichten aus der Bibel. Gordon Reeve legte sich hin und starrte mich mit weit aufgerissenen Augen an. Er konzentrierte sich wie verrückt.

»Ich kann das alles nicht glauben«, sagte er schließlich, als ich heftig schlucken musste. »Ich wünschte, ich könnte, aber ich kann es nicht. Ich finde, Raskolnikow hätte sich beruhigen und seine Freiheit genießen sollen. Er hätte sich eine Browning besorgen und alle umnieten sollen.«

Ich dachte über diese Bemerkung nach. Es schien ein bisschen was dafür zu sprechen, aber eine große Menge auch dagegen. Reeve hing irgendwie in der Luft; er glaubte zwar, keinen Glauben zu haben, was aber nicht unbedingt bedeutete, dass ihm die Fähigkeit zu glauben fehlte.

Was soll dieser ganze Scheiß?

Pssst.

Und zwischen den Spielen und dem Geschichtenerzählen legte er mir immer wieder die Hand in den Nacken.

»John, wir sind doch Freunde, oder? Ich meine richtig enge Freunde? Ich hab noch nie einen richtigen Freund gehabt.« Sein Atem war heiß trotz der Kälte in der Zelle. »Aber wir sind Freunde, nicht wahr? Ich hab dir doch beigebracht, wie man bei Nullen und Kreuzen gewinnt, oder etwa nicht?« Seine Augen waren nicht länger menschlich. Es waren die eines Wolfs. Ich hatte es kommen sehen, aber nichts dagegen tun können.

Bis jetzt nicht. Aber jetzt sah ich alles mit den klaren, halluzinogenen Augen eines Menschen, der alles gesehen hat, was es zu sehen gibt, und noch mehr. Ich sah, wie Gordons Gesicht sich meinem näherte und wie er ganz langsam – so langsam, als würde es überhaupt nicht geschehen, einen flüchtigen Kuss auf meinen Hals drückte und dabei versuchte, meinen Kopf zu drehen, um die Lippen berühren zu können.

Und ich sah mich bereits nachgeben. Nein, nein, das durfte nicht passieren. Das war unerträglich. Das konnte es doch nicht sein, worauf wir all die Wochen hingearbeitet hatten? Und wenn es das war, dann war ich die ganze Zeit ein Idiot gewesen.

»Nur einen Kuss«, sagte er, »nur einen einzigen Kuss, John. Verdammt, nun komm schon.« Und er hatte Tränen in den Augen, weil auch er erkannte, dass plötzlich alles heillos durcheinander geraten war. Auch er konnte sehen, dass da etwas endete. Aber das hielt ihn nicht davon ab, sich von hinten an mich heranzuschieben und das Tier mit den zwei Rücken zu machen. (Shakespeare. Lasst es mir durchgehen.) Und ich zitterte, war aber auf seltsame Art unfähig, mich zu bewegen. Ich wusste, dass ich dieser Situation nicht gewachsen war, dass sie nicht mehr meiner Kontrolle unterlag. Also blinzelte ich so lange, bis meine Augen zu tränen und meine Nase zu laufen anfingen.

»Nur einen Kuss.«

Die ganze Ausbildung, die ganze Quälerei für dieses letzte tödliche Ziel, und alles war nur auf diesen Moment hinausgelaufen. Letztlich war Liebe wohl immer die treibende Kraft.

»John.«

Und ich konnte nur Mitleid für uns beide empfinden, wie wir hier stinkend, besudelt und nutzlos in unserer Zelle hockten. Ich empfand nur das Frustrierende an der Sache, spürte die erbärmlichen Tränen über etwas, das ich mein Leben lang abgelehnt hatte. Gordon, Gordon, Gordon.

»John …«

Die Zellentür flog auf, als ob sie nie abgeschlossen gewesen wäre.

Ein Mann stand da. Englisch, nicht ausländisch, und von hohem Rang. Er betrachtete das ihm dargebotene Schauspiel mit einigem Widerwillen. Zweifellos hatte er die ganze Zeit zugehört, wenn nicht sogar zugesehen. Er zeigte auf mich.

»Rebus«, sagte er. »Sie haben bestanden. Sie sind jetzt auf unserer Seite.«

Ich sah ihn an. Was meinte er? Doch ich wusste ganz genau, was er meinte.

»Sie haben den Test bestanden, Rebus. Kommen Sie. Kommen Sie mit mir. Wir werden Ihnen jetzt Ihre Ausrüstung verpassen. Ihr … Freund wird weiter verhört. Sie werden uns von jetzt an bei dem Verhör helfen.«

Gordon sprang auf. Er war immer noch direkt hinter mir. Ich konnte seinen Atem in meinem Nacken spüren.

»Was meinen Sie?«, sagte ich. Mein Mund und meine Kehle waren ganz trocken. Beim Anblick dieses Offiziers in seinen frisch gestärkten Sachen wurde mir in peinlicher Weise bewusst, wie schmutzig ich war. Aber andererseits war das ja seine Schuld. »Das ist ein Trick«, sagte ich. »Es muss einer sein. Ich werde Ihnen gar nichts sagen. Und ich werde erst recht nicht mit Ihnen gehen. Ich habe keine Informationen weitergegeben. Ich bin nicht zusammengebrochen. Sie können mich jetzt nicht durchfallen lassen!« Mittlerweile war ich ganz außer mir, fast wie im Delirium. Doch ich wusste, dass er die Wahrheit sagte. Er schüttelte bedächtig den Kopf.

»Ich kann Ihr Misstrauen verstehen, Rebus. Sie haben unter großem Druck gestanden. Unter höllisch großem Druck.

Aber das ist nun vorbei. Sie haben nicht versagt, Sie haben bestanden, und zwar hervorragend. Ich denke, das können wir mit Sicherheit sagen. Sie haben bestanden, Rebus. Sie sind jetzt auf unserer Seite. Sie werden uns jetzt helfen, Reeve kleinzukriegen. Verstehen Sie?«

Ich schüttelte den Kopf.

»Das ist ein Trick«, sagte ich. Der Offizier lächelte verständnisvoll. Er hatte schon hundertmal mit Leuten wie mir zu tun gehabt.

»Hören Sie«, sagte er, »kommen Sie einfach mit uns, und wir werden alles klarstellen.«

Gordon war mit einem Satz an meiner Seite.

»Nein!«, schrie er. »Er hat doch gesagt, dass er nicht daran denkt mitzukommen. Jetzt verpissen Sie sich endlich!« Dann sagte er zu mir, eine Hand auf meine Schulter gelegt: »Hör nicht auf ihn, John. Das ist ein Trick. Diese Schweine versuchen einen immer reinzulegen.« Aber ich merkte, dass er beunruhigt war. Seine Augen blinzelten hektisch, sein Mund stand leicht offen. Und während ich seine Hand an meiner Schulter fühlte, wusste ich, dass meine Entscheidung bereits gefallen war, und Gordon schien das ebenfalls zu spüren.

»Ich glaube, das muss Trooper Rebus selbst entscheiden, meinen Sie nicht?«, sagte der Offizier.

Und dann starrte der Mann mich mit freundlichen Augen an.

Ich brauchte keinen Blick zurück in die Zelle zu werfen, oder zu Gordon. Ich sagte mir immer nur: das ist ein weiterer Teil des Spiels, nur ein weiterer Teil des Spiels. Die Entscheidung war schon vor langer Zeit getroffen worden. Sie logen mich nicht an, und natürlich wollte ich aus der Zelle raus. Es war vorherbestimmt. Nichts war willkürlich. Das hatte man mir am Anfang meiner Ausbildung gesagt. Ich machte einen Schritt nach vorn, aber Gordon hielt sich an den Fetzen meines Hemds fest.

»John«, sagte er mit flehender Stimme, »lass mich nicht im Stich, John. Bitte.«

Doch ich riss mich von seinem schwachen Griff los und verließ die Zelle.

»Nein! Nein! Nein!« Sein Rufen war laut und wild. »Lass mich nicht im Stich, John! Lasst mich raus! Lasst mich raus!«

Und dann schrie er, und es hätte mich fast umgeworfen.

Es war der Schrei eines Wahnsinnigen.

Nachdem man mich gesäubert hatte und ich von einem Arzt untersucht worden war, wurde ich in einen Raum gebracht, den man ganz euphemistisch Besprechungszimmer nannte. Ich war durch die Hölle gegangen – ging immer noch durch die Hölle – und sie wollten offenbar darüber reden, als hätte es sich bloß um irgendeine Übung in der Schule gehandelt.

Es waren vier Personen anwesend, drei Captains und ein Psychiater. Sie erklärten mir alles. Sie berichteten, dass man innerhalb des SAS eine neue Elitetruppe aufbauen wollte, deren Aufgabe die Infiltration und Destabilisierung terroristischer Gruppen sein würde, angefangen mit der Irisch-Republikanischen Armee, die allmählich mehr als nur ein Störfaktor war, jetzt wo in Irland sogar ein Bürgerkrieg drohte. Aufgrund der Natur der Aufgabe wären nur die Besten – die Allerbesten – dafür gut genug, und Reeve und ich waren als die Besten aus unserer Abteilung ausgewählt worden. Deshalb hatte man uns in eine Falle gelockt, gefangen genommen und Tests unterzogen, wie man sie noch nie innerhalb des SAS ausprobiert hatte. Mittlerweile konnte mich nichts davon mehr wirklich überraschen. Ich musste an all die anderen armen Schweine denken, die dieser verdammten Tortur unterworfen werden würden. Bloß damit wir, wenn man uns in die Kniescheibe schoss, nicht preisgaben, wer wir waren.

Und dann kamen sie auf Gordon zu sprechen.

»Unsere Einschätzung von Trooper Reeve ist ziemlich zwiespältig.« Das sagte der Mann in dem weißen Kittel. »Er ist ein verdammt guter Soldat, und wenn man ihm eine praktische Aufgabe stellt, erfüllt er sie auch. Doch in der Vergangenheit hat er immer als Einzelkämpfer gearbeitet, deshalb haben wir Sie beide zusammengesteckt, um zu sehen, wie Sie reagieren, wenn Sie eine Zelle teilen müssen, und vor allem, um zu sehen, wie Reeve damit fertig wird, wenn man ihm seinen Freund nimmt.«

Wussten sie nun von dem Kuss oder nicht?

»Ich fürchte«, fuhr der Arzt fort, »dass das Ergebnis negativ sein könnte. Er wurde langsam abhängig von Ihnen, John, nicht wahr? Selbstverständlich wissen wir, dass Sie in keinster Weise von ihm abhängig waren.«

»Was war mit den Schreien aus den anderen Zellen?«

»Tonbandaufnahmen.«

Ich nickte. Plötzlich war ich nur noch müde, und es interessierte mich alles nicht mehr.

»Das Ganze war also nur ein weiterer beschissener Test?«

»Natürlich war es das.« Sie lächelten sich unauffällig zu. »Aber das muss Sie nicht weiter stören. Das Wichtigste ist, dass Sie bestanden haben.«

Doch es störte mich. Was sollte das alles? Ich hatte Freundschaft gegen diese informelle Befragung eingetauscht. Liebe gegen diese süffisant grinsenden Gesichter. Und Gordons Schreie hallten immer noch in meinen Ohren. Rache, rief er, Rache. Ich legte meine Hände auf die Knie, beugte mich vor und fing an zu weinen.

»Ihr Schweine«, sagte ich, »ihr verdammten Schweine.«

Und wenn ich in diesem Augenblick eine Browning gehabt hätte, ich hätte große Löcher in ihre grinsenden Schädel geschossen.

Sie ließen mich noch einmal, diesmal gründlicher, in einem Militärkrankenhaus untersuchen. Mittlerweile war tatsächlich ein Bürgerkrieg in Ulster ausgebrochen, doch meine Gedanken kreisten fast ausschließlich um Gordon Reeve. Was war mit ihm geschehen? Hockte er immer noch allein in dieser stinkenden Zelle, und das wegen mir? Stand er kurz vor dem Zusammenbruch? Ich nahm die ganze Schuld auf mich und musste wieder weinen. Sie gaben mir eine Schachtel Kleenex. Offenbar wurden diese Dinge hier so geregelt.

Dann begann ich, den ganzen Tag zu weinen, manchmal unkontrollierbar, weil ich mich für alles schuldig fühlte und mein Gewissen furchtbare Qualen litt. Ich bot an, aus dem Dienst auszuscheiden. Ich *forderte* meine Entlassung. Man ließ mich widerwillig gehen. Schließlich war ich ja ein Versuchskaninchen gewesen. Ich fuhr in ein kleines Fischerdorf in Fife und wanderte an dem steinigen Strand entlang. Ich versuchte mich von meinem Nervenzusammenbruch zu erholen und die ganze Sache zu verdrängen, die schmerzlichste Erfahrung meines Lebens in Schubladen und Winkel meines Gehirns zu verpacken, alles zu verschließen und zu vergessen.

Und so vergaß ich.

Sie behandelten mich gut. Sie zahlten mir eine Abfindung, und als ich mich entschloss, in den Polizeidienst zu gehen, zogen sie allerhand Fäden hinter den Kulissen. Wirklich, ich kann mich über ihr Verhalten nicht beklagen. Aber sie erlaubten mir nicht, etwas über das Schicksal meines Freundes herauszufinden, und ich durfte nie wieder mit ihnen in Kontakt treten. Ich war tot, ich war komplett aus ihren Akten gelöscht. Ich war eine gescheiterte Existenz.

Und ich bin immer noch eine gescheiterte Existenz. Eine kaputte Ehe. Meine Tochter gekidnappt. Aber jetzt ergibt alles einen Sinn. Zumindest weiß ich, dass Gordon am Leben ist, wenn auch mehr schlecht als recht, und dass er mein kleines Mädchen hat und sie umbringen wird.

Und mich umbringen wird, wenn er kann.

Und dass ich ihn werde töten müssen, um sie zurückzubekommen.

Und ich würde es auf der Stelle tun. Gott steh mir bei, ich würde es auf der Stelle tun.

TEIL FÜNF

Knoten & Kreuze

XXIII

…

…

…

Als John Rebus aus einem, wie es ihm schien, sehr tiefen und von Träumen geplagten Schlaf erwachte, stellte er fest, dass er nicht im Bett lag. Er sah Michael, der mit einem unsicheren Lächeln über ihm stand, und Gill, die den Tränen nahe auf und ab ging.

»Was ist passiert?«, sagte Rebus.

»Nichts«, sagte Michael.

Da erinnerte sich Rebus, dass Michael ihn hypnotisiert hatte.

»Nichts?«, rief Gill. »Das nennen Sie nichts?«

»John«, sagte Michael, »mir war nicht klar, dass du das mit mir und dem alten Herrn so empfunden hast. Es tut mir leid, wenn wir dir weh getan haben.« Michael legte eine Hand auf die Schulter seines Bruders, *des Bruders, den er nie gekannt hatte.*

Gordon, Gordon Reeve. Was ist mit dir geschehen? Schmutzig und zerlumpt wirbelst du um mich herum wie Staub auf einer windigen Straße. Wie ein Bruder. Du hast meine Tochter. Wo bist du?

»O Gott.« Rebus ließ den Kopf sinken und kniff die Augen zusammen. Gill strich ihm mit einer Hand übers Haar.

Draußen wurde es hell. Die Vögel hatten ihr unermüdliches Gezwitscher wieder aufgenommen. Rebus war froh, dass sie ihn in die reale Welt zurückriefen. Sie erinnerten ihn daran, dass es vielleicht noch irgendwo jemanden gab, der glücklich war.

Vielleicht ein Liebespaar, das eng umschlungen aufwachte, oder ein Mann, dem bewusst wurde, dass heute ein Feiertag war, oder eine ältere Frau, die Gott dankte, dass sie den Anbruch eines weiteren Tages erleben durfte.

»Eine wirklich finstere Nacht für die Seele«, sagte er und fing an zu zittern. »Es ist kalt hier. Die Zündflamme muss wieder ausgegangen sein.«

Gill putzte sich die Nase und verschränkte die Arme.

»Nein, es ist warm genug hier drin, John. Hör zu«, sie sprach langsam und rücksichtsvoll, »wir brauchen eine Beschreibung von diesem Mann. Mir ist klar, dass das zwangsläufig eine Beschreibung von vor fünfzehn Jahren sein wird, aber es ist zumindest ein Anfang. Dann müssen wir überprüfen, was passiert ist, nachdem du des ... nachdem du ihn verlassen hast.«

»Das wird eine Verschlusssache sein, wenn überhaupt was existiert.«

»Und wir müssen den Chief informieren«, fuhr Gill fort, als hätte Rebus gar nichts gesagt. Sie blickte starr geradeaus. »Wir müssen diesen Wahnsinnigen finden.«

Rebus kam es sehr still im Zimmer vor, so als ob jemand gestorben wäre, dabei hatte ja eher eine Art Wiedergeburt stattgefunden – ein verdrängter Teil seiner Erinnerung war zurückgekehrt. Die Erinnerung an Gordon. Die Erinnerung daran, wie er diese unbarmherzig kalte Zelle verlassen hatte, wie er ihn seinem Schicksal überlassen hatte ...

»Könnt ihr denn sicher sein, dass dieser Reeve unser Mann ist?« Michael schenkte noch mehr Whisky ein und hielt Rebus ein Glas hin. Rebus schüttelte den Kopf.

»Für mich nicht, danke. Ich bin bereits ganz dusselig im Kopf. Oh ja, ich glaube, wir können ziemlich sicher sein, wer hinter dieser Sache steckt. Die Botschaften, die Knoten und die Kreuze. Es ergibt jetzt alles einen Sinn. Das heißt, es ergab schon die ganze Zeit Sinn. Reeve muss mich für ziemlich beschränkt halten. Da hat er mir wochenlang ganz klare Botschaften geschickt, und ich hab nicht erkannt ... ich habe diese Mädchen sterben lassen ... Und das alles nur, weil ich mich nicht den Tatsachen stellen konnte ... den Tatsachen ...«

Gill beugte sich von hinten zu ihm herab und legte die Hände auf seine Schultern. Rebus schoss aus seinem Sessel hoch und drehte sich zu ihr um. *Reeve*. Nein, Gill, Gill. Er schüttelte den Kopf, eine stumme Entschuldigung. Dann brach er in Tränen aus.

Gill sah zu Michael, doch Michael hatte den Blick gesenkt. Sie drückte Rebus so fest an sich, dass er sich nicht wieder von ihr losmachen konnte, und flüsterte immer wieder, dass sie es sei, Gill, und nicht irgendein Geist aus der Vergangenheit. Michael fragte sich, was er da angerichtet hatte. Er hatte John noch nie weinen sehen. Erneut wurde er von Schuldgefühlen übermannt. Er würde mit allem Schluss machen. Er brauchte es nicht mehr. Er würde untertauchen, bis sein Dealer keine Lust mehr hatte, nach ihm zu suchen, und seine Kunden jemand anders gefunden hatten. Er würde es tun, nicht für John, sondern für sich selbst.

Wir haben ihn wie Scheiße behandelt, dachte er bei sich, das ist wahr. Der alte Mann und ich, wir haben ihn behandelt, als ob er ein Eindringling wäre.

Später beim Kaffee wirkte Rebus ganz ruhig, doch Gills Augen waren immer noch besorgt auf ihn gerichtet.

»Wir können wohl davon ausgehen, dass dieser Reeve ziemlich durchgeknallt ist«, sagte sie.

»Vermutlich«, sagte Rebus. »*Eins* ist allerdings ganz sicher, er wird bewaffnet sein. Er wird auf alles vorbereitet sein. Dieser Mann war als Berufssoldat bei den Seaforths Highlanders und Angehöriger des SAS. Er wird knallhart sein.«

»Das warst du auch, John.«

»Deshalb bin ich der richtige Mann, um ihn aufzustöbern. Das muss der Chief einsehen, Gill. Ich arbeite wieder an dem Fall.«

Gill kräuselte die Lippen.

»Ich bin nicht sicher, ob er das gutheißt«, sagte sie.

»Dann zum Teufel mit ihm. Ich werde den Dreckskerl so oder so finden.«

»Mach das, John«, sagte Michael. »Mach das. Kümmer dich nicht drum, was die sagen.«

»Mickey«, sagte Rebus, »du bist der allerbeste Bruder, den ich mir hätte wünschen können. Gibt's irgendwas zu essen? Ich bin total ausgehungert.«

»Und ich bin völlig groggy«, sagte Michael, der ganz zufrieden mit sich war. »Hast du was dagegen, wenn ich mich eine oder zwei Stunden hinlege, bevor ich zurückfahre?«

»Natürlich nicht. Da ist mein Schlafzimmer, Mickey.«

»Gute Nacht, Michael«, sagte Gill.

Lächelnd verließ er den Raum.

Knoten und Kreuze. Nullen und Kreuze. Es war wirklich so offenkundig. Reeve musste ihn für einen Idioten halten, und in gewisser Weise hatte er auch Recht. Diese endlosen Spiele, die sie gespielt hatten, all diese Strategien und Tricks und ihre Gespräche über das Christentum, diese Kreuzknoten und Gordischen Knoten. Und Das Kreuz. Gott, wie dumm er gewesen war, sich von seinem Gedächtnis vormachen zu lassen, dass es in seiner Vergangenheit rein gar nichts von Bedeutung gäbe, nichts, was Einfluss auf die Gegenwart hätte. Wie dumm.

»John, du verschüttest deinen Kaffee.«

Gill brachte einen Teller mit Käsetoasts aus der Küche. Rebus zwang sich, wach zu werden.

»Iss das. Ich hab mit dem Präsidium telefoniert. Wir müssen in zwei Stunden da sein. Sie haben bereits eine Computerrecherche unter Reeves Namen gestartet. Wir sollten ihn schon finden.«

»Das hoffe ich, Gill. Bei Gott, das hoffe ich.«

Sie umarmten sich. Gill schlug vor, sie sollten sich auf die Couch legen. Das taten sie auch, eng umschlungen, um sich gegenseitig zu wärmen. Rebus drängte sich die Frage auf, ob er in dieser finsteren Nacht eine Art Teufelsaustreibung durchgemacht habe, ob die Vergangenheit immer noch sein Sexleben durcheinander bringen würde. Er hoffte nicht. Allerdings war jetzt weder die Zeit noch der Ort, um es auszuprobieren.

Gordon, mein Freund, was habe ich dir angetan?

XXIV

Stevens war ein geduldiger Mann. Die beiden Polizisten waren ihm gegenüber unerbittlich gewesen. Im Augenblick dürfe niemand zu Detective Sergeant Rebus. Stevens war in die Redaktion zurückgefahren, hatte einen Bericht für den Drei-Uhr-Andruck geschrieben und war dann wieder zu Rebus' Wohnung gefahren. Dort brannte immer noch Licht, aber es standen nun zwei neue Gorillas vor der Tür des Mietshauses. Stevens parkte auf der anderen Straßenseite und zündete sich eine weitere Zigarette an. Allmählich passte alles zusammen. Aus den beiden Strängen wurde einer. Die Morde und die Drogendeals waren in irgendeiner Weise miteinander verknüpft, und offenkundig war Rebus der Schlüssel zu allem. Worüber mochten er und sein Bruder um diese Uhrzeit reden? Vielleicht über einen Plan für Eventualfälle. Was hätte er dafür gegeben, in diesem Augenblick im Wohnzimmer dort oben Mäuschen spielen zu dürfen. Alles. Er kannte Reporter aus der Fleet Street, die auf ausgeklügelte Überwachungstechniken setzten – Minispione, hochempfindliche Mikrofone, Telefonwanzen – und fragte sich, ob es sich nicht doch lohnen würde, selbst ein bisschen in technischen Schnickschnack zu investieren.

Er hatte sich schon wieder neue Theorien zusammengebastelt, Theorien mit Hunderten von Variationsmöglichkeiten. Wenn Edinburghs Drogenhändler sich auf Entführung und Mord verlegt hatten, um ein paar armen Schweinen Angst zu machen, dann verschärfte sich die Situation in der Tat, und er, Jim Stevens, würde in Zukunft noch vorsichtiger sein müssen. Doch Big Podeen hatte nichts davon gewusst. Mal angenommen, eine neue Gang hatte sich in das Spiel eingeklinkt und ihre eigenen Regeln mitgebracht. Dann könnte es einen Bandenkrieg im Glasgower Stil geben. Aber heutzutage wurden diese Dinge bestimmt nicht mehr auf diese Weise geregelt. Doch wer wusste das schon.

Stevens versuchte sich wach zu halten, indem er seine Gedanken in ein Notizbuch schrieb. Er hatte das Radio an und hörte alle halbe Stunde Nachrichten. Die Tochter eines Polizisten war das jüngste Opfer des Edinburgher Kindermörders. Bei dieser Entführung war ein Mann getötet worden, in der Wohnung der Mutter des Kindes erwürgt. Und so weiter. Stevens formulierte und spekulierte immer weiter.

Es war noch nicht bekanntgegeben worden, dass *alle* Morde mit Rebus in Verbindung standen. Die Polizei wollte das noch nicht publik machen, nicht einmal Jim Stevens gegenüber.

Um halb acht gelang es Stevens, einen vorbeikommenden Zeitungsjungen zu bestechen, ihm aus einem Geschäft in der Nähe Brötchen und Milch zu besorgen. Er spülte die trockenen, krümeligen Brötchen mit der eiskalten Milch hinunter. Obwohl er die Heizung im Auto an hatte, spürte er die Kälte bis ins Mark. Er brauchte eine Dusche, eine Rasur, ein bisschen Schlaf. Nicht unbedingt in dieser Reihenfolge. Doch er war zu nah dran, um jetzt aufzugeben. Er besaß die Zähigkeit – manch einer würde es Wahnsinn oder Fanatismus nennen – eines jeden guten Reporters. Er hatte beobachtet, wie andere Journalisten im Laufe der Nacht ankamen und fortgeschickt wurden. Ein paar hatten ihn in seinem Auto sitzen gesehen und waren herübergekommen, um ein bisschen zu plaudern oder herumzuschnüffeln. Er hatte sein Notizbuch versteckt und Desinteresse vorgetäuscht, behauptet, er würde gleich nach Hause fahren. Lauter verdammte Lügen.

Aber das gehörte zum Geschäft.

Und jetzt kamen sie endlich heraus. Natürlich waren ein paar Kameras und Mikrofone da, aber nicht allzu aufdringlich, kein Drängeln und Schubsen, alles ganz diszipliniert. Zum einen war der Mann ein Vater, der um seine Tochter bangte, zum anderen war er Polizist. Niemand würde wagen, ihn zu bedrängen.

Stevens beobachtete, wie man Gill und Rebus auf den Rücksitz eines im Leerlauf wartenden Rover der Polizei lotste. Er betrachtete ihre Gesichter. Rebus wirkte ausgelaugt. Das war nur zu erwarten. Doch hinter dieser Erschöpfung lag eine grimmige Entschlossenheit, die man an seinem zusammengekniffenen Mund erkennen konnte. Das beunruhigte Stevens ein wenig. Es war, als ob der Mann in den Krieg ziehen wollte. Verdammt noch mal. Und dann war da Gill Templer. Sie wirkte mitgenommen, noch mitgenommener als Rebus. Ihre Augen waren gerötet, aber auch sie hatte etwas Außergewöhnliches an sich. Etwas war nicht ganz so, wie es sein sollte. Jeder anständige Reporter konnte das erkennen, wenn er wusste, wonach er suchte. Stevens erging sich in selbstquälerischen Gedanken. Er musste mehr wissen. Diese Geschichte war wie eine Droge. Er brauchte immer größere Dosen. Leicht erschrocken stellte er fest, dass er diese Dröhnungen eigentlich gar nicht so sehr für seinen Job brauchte, sondern um seine persönliche Neugier zu befriedigen. Rebus faszinierte ihn irgendwie. Und Gill Templer interessierte ihn sowieso.

Und Michael Rebus …

Michael Rebus war offenbar noch in der Wohnung. Die Karawane setzte sich jetzt in Bewegung. Der Rover bog aus der stillen Marchmont Street nach rechts ab, doch die Gorillas blieben da. Neue Gorillas. Stevens zündete sich eine Zigarette an. Es könnte einen Versuch wert sein. Er ging zu seinem Auto zurück und schloss es ab. Dann machte er einen Spaziergang um den Block und legte sich einen neuen Plan zurecht.

»Entschuldigen Sie, Sir. Wohnen Sie hier?«

»Natürlich wohne ich hier! Was soll denn das? Ich muss ins Bett.«

»Harte Nacht gehabt, Sir?«

Der Mann mit den verschlafenen Augen hielt dem Polizisten drei braune Papiertüten unter die Nase. In jeder waren sechs Brötchen.

»Ich bin Bäcker. Schichtarbeit. Wenn Sie mich jetzt bitte …«

»Und Ihr Name, Sir?«

Als Stevens sich an dem Mann vorbeizuschieben versuchte, hatte er gerade so viel Zeit gehabt, um ein paar von den Namen auf den Klingelschildern zu entziffern.

»Laidlaw«, sagte er. »Jim Laidlaw.«

Der Polizist überprüfte das auf seiner Namensliste.

»In Ordnung, Sir. Tut mir leid, dass wir Sie belästigt haben.«

»Was soll das alles?«

»Das werden Sie noch früh genug erfahren, Sir. Erst mal gute Nacht.«

Es gab noch ein weiteres Hindernis, und Stevens wusste, wenn die Tür abgeschlossen war, dann war sie abgeschlossen, und er war trotz all seiner Gerissenheit geliefert. Er stieß ganz selbstverständlich gegen die schwere Tür und spürte, wie sie nachgab. Sie hatten sie nicht abgeschlossen. Sein Schutzpatron war ihm offenbar heute wohlgesinnt.

Im Treppenhaus stellte er die Brötchentüten auf den Boden und dachte sich eine neue Strategie aus. Er stieg die beiden Treppen bis zu Rebus' Wohnung hinauf. Im ganzen Haus schien es nach Katzenpisse zu stinken. An Rebus' Tür musste er erst einmal Luft holen, teils weil er keine Kondition hatte, teils aber auch, weil er aufgeregt war. Er hatte schon seit Jahren kein so gutes Gefühl mehr bei einer Geschichte gehabt. Er beschloss, an einem Tag wie diesem könne er sich alles erlauben, und drückte erbarmungslos auf die Klingel.

Nach einiger Zeit wurde die Tür von einem gähnenden und verquollen aussehenden Michael Rebus geöffnet. Endlich standen sie sich also von Angesicht zu Angesicht gegenüber. Stevens fuchtelte vor Michaels Gesicht mit einer Karte herum. Diese wies James Stevens als Mitglied des Edinburgher Snooker-Clubs aus.

»Detective Inspector Stevens, Sir. Tut mir Leid, dass ich Sie aus dem Bett geholt habe.« Er steckte die Karte wieder ein. »Ihr Bruder hatte uns gesagt, dass Sie vermutlich noch schlafen würden, aber ich dachte, ich versuch 's trotzdem mal. Darf ich reinkommen? Nur ein paar Fragen, Sir. Ich werd Sie nicht lange aufhalten.«

Die beiden Polizisten, deren Füße trotz Thermostrümpfen und der Tatsache, dass Sommeranfang war, ganz taub waren, traten von einem Fuß auf den anderen und hofften auf Ablösung. Sie redeten ausschließlich über die Entführung und darüber, dass der Sohn des Chief Inspectors ermordet worden war. Hinter ihnen ging die Haustür auf.

»Immer noch da? Meine Frau hat mir gesagt, vor der Tür wären Bobbys, aber ich hab's nicht geglaubt. Wart wohl die ganze Nacht hier. Was ist los?«

Es war ein alter Mann, immer noch in Hausschuhen, aber in einem dicken Wintermantel. Er war nur zur Hälfte rasiert, und den unteren Teil seines Gebisses hatte er entweder verloren oder vergessen in den Mund zu schieben. Während er langsam durch die Tür ging, setzte er eine Kappe auf seinen kahlen Schädel.

»Nichts, worüber Sie sich beunruhigen müssten, Sir. Man wird es Ihnen sicher bald erklären.«

»Na schön. Ich geh nur schnell die Zeitung und die Milch holen. Normalerweise gibt's bei uns Toast zum Frühstück, aber irgendein Idiot hat zwei Dutzend frische Brötchen im Hausflur liegen lassen. Wenn sie keiner will, ich nehm sie gern.«

Er kicherte, und man konnte sehen, dass sein Zahnfleisch unten ganz rot und wund war.

»Kann ich euch beiden was aus dem Laden mitbringen?«

Die beiden Polizisten starrten sich sprachlos und entsetzt an.

»Du gehst rauf«, sagte der eine schließlich zum anderen. Dann: »Und Ihr Name, Sir?«

Der alte Mann nahm Haltung an, ein alter Soldat.

»Jock Laidlaw«, sagte er, »zu Ihren Diensten.«

Stevens trank dankbar den schwarzen Kaffee. Das erste Warme, das er seit ewigen Zeiten zu sich nahm. Er saß im Wohnzimmer und ließ seine Augen schweifen.

»Ich bin froh, dass Sie mich geweckt haben«, sagte Michael Rebus. »Ich muss nämlich zurück nach Hause.«

Das kann ich mir vorstellen, dachte Stevens. Das kann ich mir vorstellen. Rebus wirkte sehr viel entspannter, als er das erwartet hatte. Ausgeruht, entspannt und ganz mit sich im Reinen. Das wurde ja immer kurioser.

»Wie gesagt, nur ein paar Fragen, Mister Rebus.«

Michael setzte sich hin, schlug die Beine übereinander und nippte an seinem Kaffee.

»Ja?«

Stevens holte sein Notizbuch hervor.

»Ihr Bruder hat einen schweren Schock erlitten.«

»Ja.«

»Aber Sie glauben, er erholt sich wieder?«

»Ja.«

Stevens tat so, als würde er sich etwas aufschreiben.

»Wie war übrigens seine Nacht? Hat er gut geschlafen?«

»Nun ja, keiner von uns hat viel Schlaf bekommen. Ich weiß nicht, ob John überhaupt geschlafen hat.« Michaels Augenbrauen zogen sich zusammen. »Hören Sie mal, was soll das alles?«

»Reine Routine, Mister Rebus. Das verstehen Sie doch. Um diesen Fall zu lösen, müssen wir alles über jede Person wissen, die auch nur irgendwie damit zu tun hat.«

»Aber er ist doch bereits gelöst.«

Stevens Herz überschlug sich.

»Tatsächlich?«, hörte er sich sagen.

»Wissen Sie das denn nicht?«

»Ja, natürlich, aber wir brauchen einfach *alles* ...«

»Über jeden, der davon betroffen ist. Ja, das haben Sie gesagt. Könnte ich bitte noch mal Ihren Ausweis sehen? Nur um sicherzugehen.«

Man hörte, wie ein Schlüssel in die Wohnungstür gesteckt wurde.

Verdammt, dachte Stevens, die sind schon zurück.

»Hör mal«, sagte er mit zusammengebissenen Zähnen, »wir wissen alles über deinen kleinen Drogenhandel. Jetzt sag uns, wer dahinter steckt, oder wir werden dich für die nächsten hundert Jahre hinter Gitter stecken, Sonny!«

Michaels Gesicht wurde leicht bläulich, dann grau. Sein Mund schien bereit, das Wort auszuspucken, das Stevens brauchte.

Doch in dem Augenblick war einer der Gorillas im Zimmer und riss Stevens aus seinem Sessel hoch.

»Ich hab meinen Kaffee doch noch gar nicht ausgetrunken!«, protestierte er.

»Du hast Glück, dass ich dir nicht deinen verdammten Hals breche, Kumpel«, antwortete der Polizist.

Michael Rebus stand ebenfalls auf, sagte aber nichts.

»Einen Namen!«, schrie Stevens. »Gib mir nur einen Namen! Wenn du nicht mitspielst, mein Freund, wird das dick auf der ersten Seite stehen! Gib mir den Namen!«

Er brüllte immer weiter, das ganze Treppenhaus hinunter, bis zur letzten Sufe.

»Okay, ich gehe«, sagte er schließlich und machte sich von dem festen Griff an seinem Arm los. »Ich gehe. Wart wohl 'n bisschen lasch, was, Jungs? Diesmal halt ich den Mund, aber beim nächsten Mal solltet ihr besser aufpassen. Okay?«

»Verpiss dich, du Arschloch«, sagte ein Gorilla.

Stevens verpisste sich. Er stieg in sein Auto und war noch frustrierter und neugieriger als vorher. Gott, war er nah dran gewesen. Aber was meinte der Hypnotiseur, als er sagte, der Fall wäre gelöst? War er das? Wenn ja, dann wollte er als Erster die Details bringen. Er war es nicht gewohnt, so weit hintendran zu sein. Normalerweise wurde das Spiel nach seinen Regeln gespielt. Nein, das war er nicht gewohnt und es gefiel ihm überhaupt nicht.

Trotzdem liebte er das Spiel.

Doch wenn der Fall gelöst war, dann war die Zeit knapp. Und wenn du vom einen Bruder nicht kriegen kannst, was du willst, dann geh zum andern. Er glaubte, er wusste, wo Rebus sein würde. Seine Intuition funktionierte heute sehr gut. Er fühlte sich hervorragend.

XXV

»Also John, das klingt ja alles ziemlich unwahrscheinlich, aber es ist durchaus eine Möglichkeit. In jedem Fall ist es der beste Anhaltspunkt, den wir haben, obwohl ich mir nur schwer vorstellen kann, dass jemand so sehr von Hass erfüllt sein soll, dass er vier unschuldige Mädchen ermordet, nur um Ihnen den Hinweis auf sein letztes Opfer zu geben.«

Chief Superintendent Wallace blickte von Rebus zu Gill Templer und wieder zurück. Rechts von Rebus saß Anderson. Wallaces Hände lagen wie ein Paar tote Fische auf seinem Schreibtisch, direkt vor ihm ein Stift. Der Raum war groß und übersichtlich und strahlte Selbstsicherheit aus. Hier wurden Probleme immer gelöst, Entscheidungen getroffen – und zwar immer richtig.

»Das Problem besteht jetzt darin, ihn zu finden. Wenn wir die Sache publik machen, könnten wir ihn vertreiben und damit das Leben Ihrer Tochter in Gefahr bringen. Andererseits wäre ein Appell an die Öffentlichkeit die bei weitem schnellste Möglichkeit, ihn zu finden.«

»Sie können doch unmöglich ...!« Gill Templer stand in dem stillen Raum kurz vorm Explodieren, doch Wallace brachte sie mit einer Handbewegung zum Schweigen.

»In diesem Stadium denke ich nur laut, Inspector Templer, gehe einfach mal verschiedene Möglichkeiten durch.«

Anderson saß wie ein Toter da, den Blick auf den Boden gerichtet. Wegen des Trauerfalls war er zwar offiziell beurlaubt, hatte aber darauf bestanden, den Fall weiterhin mitverfolgen zu dürfen, und Superintendent Wallace hatte zugestimmt.

»Natürlich ist es ausgeschlossen, John«, sagte Wallace gerade, »dass Sie weiter an dem Fall arbeiten.«

Rebus stand auf.

»Setzen Sie sich, John. Bitte.« Die Augen des Super waren hart und ehrlich, die Augen eines echten Polizisten, eines Polizisten der alten Schule. Rebus setzte sich wieder. »Ob Sie mir das glauben oder nicht, ich weiß schon, wie Sie sich fühlen. Aber hier steht jetzt zu viel auf dem Spiel. Für uns alle. Sie sind zu sehr persönlich betroffen, um objektiv von Nutzen zu sein, und es würde in der Öffentlichkeit einen Aufschrei von wegen Selbstjustiz geben. Das müssen Sie doch einsehen.«

»Ich sehe nur, dass Reeve vor nichts zurückschrecken wird, wenn ich abtauche. Er hat es einzig und allein auf mich abgesehen.«

»Ganz genau. Und wäre es nicht blöd von uns, Sie ihm auf dem Tablett zu servieren? Wir werden tun, was wir können, alles, was Sie auch tun würden. Überlassen Sie es uns.«

»Die Armee wird Ihnen nichts sagen, und das wissen Sie auch.«

»Die werden uns Auskunft geben müssen.« Wallace begann mit seinem Stift herumzuspielen, als ob er einzig zu diesem Zweck da läge. »Letztlich haben sie denselben Boss wie wir. Man wird sie dazu zwingen.«

Rebus schüttelte den Kopf.

»Die haben ihre eigenen Gesetze. Der SAS ist praktisch noch nicht mal Teil der Armee. Wenn die Ihnen nichts sagen wollen, dann werden die Ihnen auch nichts sagen, das können Sie mir glauben.« Rebus' Hand knallte auf den Schreibtisch. »Aber auch gar nichts.«

»John.« Gill drückte seine Schulter und bat ihn, ruhig zu sein. Sie sah zwar selbst aus wie eine Furie, aber sie wusste, wann sie den Mund halten musste und ihr Missfallen und ihren Zorn nur durch Blicke zum Ausdruck bringen durfte. Für Rebus zählten jedoch nur noch Taten. Zu lange schon hatte er die Realität verdrängt.

Er stand von seinem kleinen Stuhl auf, als wäre er nur noch geballte Energie, kein menschliches Wesen mehr, und verließ schweigend den Raum. Der Superintendent sah Gill an.

»Er ist raus aus dem Fall, Gill. Das muss man ihm klarmachen. Ich habe den Eindruck, dass Sie«, er hielt inne, öffnete eine Schublade und schob sie wieder zu, »dass Sie und er in einem gewissen Einvernehmen stehen. So hätte man es zumindest zu meiner Zeit ausgedrückt. Vielleicht sollten Sie ihm nahe bringen, in was für einer Situation er sich befindet. Wir werden diesen Mann schnappen, aber nicht mit einem Rebus, der auf Rache aus ist.« Wallace sah zu Anderson, der ihn ausdruckslos anstarrte. »Und wir wollen keine Selbstjustiz«, fuhr er fort. »Nicht hier in Edinburgh. Was sollen denn die Touristen denken?« Ein eisiges Lächeln machte sich auf seinem Gesicht breit. Er blickte von Anderson zu Gill, dann stand er von seinem Stuhl auf. »Das wird allmählich ganz schön …«

»Verwickelt?«, schlug Gill vor.

»Ich hatte sagen wollen inzestuös. Angefangen mit Chief Inspector Anderson hier. Sein Sohn und Rebus' Frau, Sie selbst mit Rebus, Rebus und dieser Reeve, Reeve und Rebus' Tochter. Ich hoffe, dass die Presse keinen Wind davon kriegt. Sie sind dafür verantwortlich, dass niemand was erfährt, und wenn doch einer was spitzkriegt, dann müssen Sie halt Druck machen. Habe ich mich klar ausgedrückt?«

Gill Templer nickte und musste dabei ein plötzliches Gähnen unterdrücken.

»Gut.« Der Super nickte zu Anderson hinüber. »Und jetzt sorgen Sie dafür, dass Chief Inspector Anderson sicher nach Hause kommt.«

Während er hinten im Wagen saß, ging William Anderson in Gedanken seine Informanten und Freunde durch. Er kannte ein paar Leute, die über den Special Air Service Bescheid wissen könnten. So etwas wie der Fall Rebus–Reeve konnte doch nicht völlig vertuscht worden sein, selbst wenn er aus den Akten gestrichen worden war. Die Soldaten hatten bestimmt damals davon gewusst. Überall kursierten Gerüchte, besonders da, wo man es am wenigsten erwartete. Vielleicht musste er den einen oder anderen unter Druck setzen und ein paar Zehner springen lassen, aber er würde den Dreckskerl finden, selbst wenn es seine letzte Tat auf Gottes Erde sein sollte.

Oder er würde dabei sein, wenn Rebus ihn erwischte.

Rebus verließ das Präsidium durch einen Hintereingang, so wie Stevens gehofft hatte. Er folgte dem ziemlich mitgenommen aussehenden Polizisten, der sich unauffällig davonmachte. Was hatte das zu bedeuten? Egal. Solange er Rebus auf den Fersen blieb, würde er seine Geschichte bekommen, und es würde garantiert eine Mordsgeschichte werden. Stevens drehte sich immer wieder um, doch Rebus schien nicht beschattet zu werden. Jedenfalls nicht von der Polizei. Merkwürdig, dass sie Rebus so einfach allein weggehen ließen. Man konnte doch nicht wissen, auf was für Ideen ein Mann kommen würde, dessen Tochter entführt worden war. Stevens hoffte auf den absoluten Knüller. Er hoffte, dass Rebus ihn geradewegs zu den großen Bossen führen würde, die hinter diesem neuen Drogenring steckten. Wenn nicht der eine Bruder, dann halt der andere.

Wie ein Bruder für mich und ich für ihn. Was war passiert? Er wusste, wo die Schuld letztendlich lag. Die Art, wie man sie behandelt hatte, war die Ursache für das Ganze. Wie man sie eingesperrt, gebrochen und dann wieder zusammengeflickt hatte. Das Zusammenflicken war wohl nicht so recht geglückt. Sie waren beide auf ihre Art gebrochen. Doch dieses Wissen würde ihn nicht daran hindern, Reeve den Kopf von den Schultern zu reißen. Nichts würde ihn daran hindern. Aber er musste den Dreckskerl erst mal finden, und er hatte keine Ahnung, wo er anfangen sollte. Er konnte spüren, wie die Stadt sich immer enger um ihn schloss, ihr ganzes von Historie erfülltes Gewicht auf ihn lud, ihn erdrückte. Dissens, Rationalismus, Aufklärung – Edinburgh hatte sich in allen drei Disziplinen hervorgetan, und jetzt könnte er solche Qualitäten ebenfalls gut gebrauchen. Doch er war ganz auf sich gestellt, musste schnell, aber methodisch vorgehen, Einfallsreichtum beweisen und jedes Mittel, das ihm zur Verfügung stand, einsetzen. Vor allem brauchte er Instinkt.

Nach fünf Minuten wusste er, dass ihm jemand folgte, und ihm sträubten sich die Nackenhaare. Das war nicht der übliche Polizeischatten. Der wäre nicht so leicht zu entdecken gewesen. Aber war es ... Konnte er so nah sein ... An einer Bushaltestelle blieb er stehen und drehte sich abrupt um, als ob er nach dem Bus schauen wollte. Er sah, wie der Mann sich in einen Hauseingang duckte. Es war nicht Gordon Reeve. Es war dieser verdammte Reporter.

Rebus spürte, wie sein Herz sich beruhigte, doch das Adrenalin schoss bereits durch seinen Körper. Er wäre am liebsten auf der Stelle losgerast, fort von dieser langen, geraden Straße und hinein in das schlimmste Getümmel, das man sich vorstellen konnte. Doch dann kam ein Bus um die Ecke gerumpelt, und er stieg stattdessen ein.

Aus dem Heckfenster sah er, wie der Reporter aus dem Hauseingang sprang und verzweifelt versuchte, ein Taxi anzuhalten. Rebus hatte keine Zeit, sich über diesen Mann aufzuregen. Er musste nachdenken, und zwar darüber, wie um alles in der Welt er Reeve finden sollte. Eine Möglichkeit kam ihm immer wieder in den Sinn – er wird *mich* finden, ich brauche nicht hinter ihm herzujagen. Aber irgendwie machte ihm das am meisten Angst.

Gill Templer konnte Rebus nicht finden. Er war verschwunden, als wäre er nur ein Schatten und kein menschliches Wesen. Sie telefonierte hinter ihm her, raste herum, fragte alle möglichen Leute – tat also alles, was ein guter Polizist in so einem Fall tun sollte. Nur hatte sie es leider mit einem Mann zu tun, der nicht nur selber ein guter Polizist war, sondern obendrein auch noch einer der Besten beim SAS gewesen war. Er hätte sich unter ihren Füßen verstecken können, unter ihrem Schreibtisch, in ihren Klamotten, und sie hätte ihn niemals gefunden. Also blieb er verschwunden.

Und er blieb, so nahm sie an, deshalb verschwunden, weil er unterwegs war, weil er rasch und methodisch die Straßen und Kneipen von Edinburgh durchkämmte auf der Suche nach seinem Opfer, von dem er wusste, dass es sich wieder in einen Jäger verwandeln würde, sobald er es gefunden hatte.

Aber Gill gab nicht auf. Ab und zu schauderte es sie bei dem Gedanken an die harte und furchtbare Vergangenheit ihres Geliebten und an die Mentalität der Leute, die glaubten, dass solche Dinge notwendig waren. Armer John. Was hätte sie an seiner Stelle getan? Sie hätte schnurstracks diese Zelle verlassen und wäre stur weitergegangen, wie er es auch getan hatte. Und trotzdem hätte sie sich schuldig gefühlt, ganz genau wie er, und sie hätte alles irgendwohin verdrängt, wo es seine unsichtbaren Narben hinterlassen hätte.

Warum mussten sämtliche Männer in ihrem Leben solche komplizierten, verkorksten Typen sein, die von ihrer Vergangenheit nicht loskamen? Zog sie solche angeknacksten Kerle an? Das hätte man ja noch lustig finden können, aber schließlich musste man an Samantha denken, und das war überhaupt nicht komisch. Wo fing man an zu suchen, wenn man die berühmte Stecknadel im Heuhaufen finden wollte? Sie erinnerte sich an die Worte von Superintendent Wallace: *sie haben denselben Boss wie wir*. Das war eine Tatsache, über die man mit all ihren Konsequenzen nachdenken musste. Denn wenn sie denselben Boss hatten, dann könnte man sich vielleicht am Ende darauf einigen, die ganze Sache zu vertuschen, zumal jetzt auch noch diese uralte, furchtbare Geschichte wieder ans Tageslicht gekommen war. Wenn das nämlich in die Zeitungen kam, würde in allen militärischen Bereichen die Hölle los sein. Vielleicht würden sie ein Interesse daran haben, die Sache zu vertuschen. Vielleicht würden sie Rebus zum Schweigen bringen wollen. Mein Gott, was wäre, wenn sie John Rebus zum Schweigen bringen wollten? Das würde bedeuten, dass sie auch Anderson zum Schweigen bringen würden – und sie selbst. Das würde auf Bestechung hinauslaufen, oder man müsste völlig reinen Tisch machen. Sie würde sehr vorsichtig sein müssen. Ein falscher Zug könnte ihre Entlassung aus dem Polizeidienst bedeuten, und das wäre noch nicht alles. Dennoch musste man dafür sorgen, dass Gerechtigkeit geübt wurde. Es durfte keinerlei Vertuschung geben. Der Boss, wer oder was auch immer sich hinter dieser anonymen Bezeichnung verbarg, würde darüber zwar nicht besonders glücklich sein. Aber die Wahrheit musste heraus, sonst wäre die ganze Sache eine Farce – und ihre Akteure ebenfalls.

Und wie waren ihre Gefühle für John Rebus selbst, der mitten im Scheinwerferlicht stand? Sie wusste langsam nicht mehr, was sie glauben sollte. So absurd es auch klingen mochte, immer noch nagte die Vorstellung an ihr, dass John irgendwie hinter dieser ganzen Sache steckte – von wegen Reeve! –, er hatte sich die Briefe selbst geschickt, den Geliebten seiner Frau aus Eifersucht umgebracht, und seine Tochter war jetzt irgendwo versteckt – vielleicht in diesem abgeschlossenen Zimmer.

Doch so wie sich die Dinge zugespitzt hatten, war ihre Hypothese kaum haltbar, und gerade deshalb dachte Gill Templer so intensiv darüber nach. Und dann verwarf sie sie, verwarf sie aus dem einfachen Grund, dass John Rebus einmal mit ihr geschlafen hatte, einmal seine Seele vor ihr entblößt hatte, einmal ihre Hand unter einer Krankenhausdecke gedrückt hatte. Würde ein Mann, der etwas zu verbergen hatte, sich mit einer Polizistin einlassen? Nein, das schien völlig undenkbar.

Damit wurde es wieder eine Möglichkeit von vielen. Gills Kopf begann zu dröhnen. Wo zum Teufel war John? Und was, wenn Reeve ihn fand, bevor sie Reeve fanden? Wenn John Rebus wie ein wandelndes Leuchtfeuer für seinen Feind war, war es dann nicht Wahnsinn, dass er allein unterwegs war, wo immer er auch steckte? Natürlich war es verrückt. Es war dumm gewesen, ihn hinausspazieren zu lassen und ihm die Gelegenheit zu geben, sich einfach in Luft aufzulösen. Scheiße. Sie nahm den Hörer wieder auf und wählte die Nummer von seiner Wohnung.

XXVI

Rebus bewegte sich durch den Dschungel der Stadt, jenen Dschungel, den die Touristen nie zu sehen bekamen, da sie zu sehr damit beschäftigt waren, die uralten goldenen Tempel zu fotografieren, Tempel, die längst verschwunden, aber noch als Schatten erkennbar waren. Doch dieser Dschungel rückte den Touristen erbarmungslos, aber unsichtbar näher wie eine Naturgewalt, die Gewalt der Auflösung und Zerstörung.

Edinburgh sei ein harmloses Revier, behaupteten seine Kollegen von der Westküste gern. Versuch's mal für eine Nacht in Partick und dann überzeug mich vom Gegenteil. Doch Rebus wusste es besser. Er wusste, dass in Edinburgh alles nur Schein war, deshalb war es hier schwerer, das Verbrechen aufzuspüren, aber es war trotzdem da. Edinburgh war eine schizophrene Stadt, die Stadt von Jekyll & Hyde natürlich, von Deacon Brodie, von Pelzmänteln ohne Schlüpfer drunter (wie man im Westen sagte). Aber es war außerdem eine kleine Stadt, und das würde Rebus' Vorteil sein.

Er suchte in den Spelunken, in denen harte Männer tranken, in den Wohnsiedlungen, wo Heroin und Arbeitslosigkeit an der Tagesordnung waren, denn er wusste, in dieser Anonymität könnte ein harter Mann sich irgendwo verstecken, seine Pläne schmieden und überleben. Er versuchte, in Gordon Reeves Haut zu schlüpfen. Es war allerdings eine Haut, die schon viele Male abgestreift worden war, und Rebus musste sich schließlich eingestehen, dass er weiter von seinem geisteskranken, mörderischen Blutsbruder entfernt war als je zuvor. So wie er damals Gordon Reeve seinem Schicksal überlassen hatte, würde Reeve sich jetzt weigern, sich ihm zu zeigen. Vielleicht würde ein weiterer Brief kommen, ein weiterer neckischer Hinweis. O Sammy, Sammy, Sammy. Bitte, lieber Gott, lass sie leben, lass sie leben.

Gordon Reeve hatte sich einfach über Rebus' Welt erhoben.

Jetzt schwebte er irgendwo über ihm und weidete sich an seiner neu gefundenen Macht. Er hatte fünfzehn Jahre gebraucht, um diesen Trick hinzukriegen, aber mein Gott, was für ein Trick. In diesen fünfzehn Jahren hatte er vermutlich seinen Namen und sein Aussehen geändert, einen einfachen Job angenommen und alles über Rebus in Erfahrung gebracht, was herauszukriegen war. Wie lange hatte dieser Mann ihn schon beobachtet? Ihn beobachtet und gehasst und Pläne geschmiedet? All die Male, wo er ohne Grund eine Gänsehaut gespürt hatte, wo das Telefon klingelte, ohne dass sich jemand meldete, oder irgendwelche kleinen Missgeschicke passierten, die man rasch wieder vergaß. Und Reeve hatte grinsend über ihm geschwebt, ein kleiner Gott, der mit Rebus' Schicksal spielte. Rebus schauderte. Aus lauter Frust ging er in ein Pub und bestellte einen dreifachen Whisky.

»Hier ist der Einfache schon fast 'n Doppelter, Kumpel. Willst du wirklich einen Dreifachen?«

»Klar doch.«

Was soll's. War doch eh alles egal. Wenn Gott da oben in seinem Himmel so sehr beschäftigt war, dass er sich nur ab und zu runterbeugen und seinen Geschöpfen zuwenden konnte, dann war das in der Tat eine sehr merkwürdige Art von Zuwendung. Als er sich umschaute, bemerkte er um sich nichts als Verzweiflung. Alte Männer saßen vor ihren Halfpint-Gläsern und starrten mit leeren Augen zum Eingang. Fragten sie sich, was da draußen sein mochte? Oder hatten sie bloß Angst, dass – was auch immer da draußen war – es sich eines Tages gewaltsam Einlass verschaffen, gnadenlos ihre Schwächen bloßlegen und über sie kommen könnte mit dem Zorn eines alttestamentarischen Monsters, eines Behemoth, mit der Wucht einer zerstörerischen Flut? Er konnte nicht sehen, was sich hinter ihren Augen verbarg, genauso wenig wie sie hinter seine blicken konnten. Allein diese Fähigkeit, nicht mit allen anderen mitleiden zu müssen, hielt die Menschheit am Leben. Man konzentrierte sich auf das »Ich«

und mied die Bettler mit ihren ausgestreckten Armen. Insgeheim hatte Rebus angefangen zu beten. Er flehte seinen merkwürdigen Gott an, dass er ihm erlauben würde, Reeve zu finden, damit er sich vor diesem Verrückten endlich rechtfertigen könnte. Gott antwortete nicht. Aus dem Fernseher plärrte eine banale Quiz-Show.

»Kampf gegen Imperialismus, Kampf gegen Rassismus.«

Eine junge Frau in einer Kunstlederjacke und mit einer kleinen runden Brille stand hinter Rebus. Er drehte sich zu ihr um. In einer Hand hielt sie eine Sammelbüchse, in der anderen einen Stapel Zeitungen.

»Kampf gegen Imperialismus, Kampf gegen Rassismus.«

»Das sagtest du bereits.« Schon jetzt spürte er, wie der Alkohol seine Zunge löste. »Von wem kommst du?«

»Revolutionäre Arbeiterpartei. Das imperialistische System kann nur zerschlagen werden, wenn sich die Arbeiter vereinigen und den Rassismus zerschlagen. Rassismus ist das Rückgrat der Unterdrückung.«

»Ach ja? Verwechselst du da nicht zwei ganz unterschiedliche Dinge, meine Liebe?«

Sie funkelte ihn zornig an, war aber bereit, mit ihm zu diskutieren. Das waren sie immer.

»Die beiden sind unlösbar miteinander verbunden. Der Kapitalismus wurde auf Sklavenarbeit errichtet und wird durch Sklavenarbeit aufrechterhalten.«

»Du hörst dich aber nicht gerade nach einer Sklavin an. Wo hast du diesen Akzent her? Cheltenham?«

»Mein Vater war ein Sklave der kapitalistischen Ideologie. Er wusste nicht, was er tat.«

»Das heißt, du warst auf einer teuren Schule?«

Sie sprühte jetzt richtig vor Zorn. Rebus zündete sich eine Zigarette an. Auch ihr bot er eine an, aber sie schüttelte den Kopf. Ein kapitalistisches Produkt, nahm er an, für das die Blätter in Südamerika von Sklaven gepflückt wurden. Sie war eigentlich recht hübsch. Achtzehn oder neunzehn Jahre alt.

Seltsam viktorianisch aussehende Schuhe hatte sie an, ganz enge spitze Dinger. Und ein langes, gerade geschnittenes schwarzes Hemd. Schwarz, die Farbe des Protests. Er war immer für Protest.

»Du bist sicher Studentin?«

»Das stimmt«, sagte sie und trat unbehaglich von einem Fuß auf den anderen. Sie erkannte einen Käufer, wenn sie einen sah. Das hier war kein Käufer.

»Edinburgh University?«

»Ja?«

»Welche Fächer?«

»Englisch und Politik.«

»Englisch? Hast du schon mal von einem Mann namens Eiser gehört? Er unterrichtet dort.«

Sie nickte.

»Das ist ein alter Faschist«, sagte sie. »Seine Theorie des Lesens ist ein Stück rechter Propaganda, um dem Proletariat Sand in die Augen zu streuen.«

Rebus nickte.

»Wie hieß deine Partei noch gleich?«

»Revolutionäre Arbeiterpartei.«

»Aber du bist doch Studentin. Keine Arbeiterin, und stammst auch nicht aus dem Proletariat, so wie du dich anhörst.« Ihr Gesicht war rot, ihre Augen glühten. Wenn die Revolution kam, würde Rebus als Erster an die Wand gestellt werden. Aber er hatte seine Trumpfkarte noch nicht ausgespielt. »Also läufst du hier im Grunde unter einem falschen Etikett herum. Und was ist mit dieser Büchse? Hast du überhaupt eine ordnungsgemäße Konzession, um Geld zu sammeln?«

Die Büchse war alt, ihr ursprünglicher Verwendungszweck nicht mehr zu erkennen. Es war ein schlichter, roter Zylinder, so wie man sie am Volkstrauertag benutzte. Aber heute war nicht Volkstrauertag.

»Sind Sie ein Cop?«

»Erraten, Schätzchen. Und *hast* du eine Konzession? Andernfalls müsste ich dich leider mitnehmen.«

»Scheiß Bulle!«

Offenbar hielt sie das für die passenden Abschiedsworte, denn sie drehte sich um und ging zur Tür. Rebus trank kichernd seinen Whisky aus. Armes Ding. Sie würde sich ändern. Der Idealismus würde verschwinden, sobald sie sah, wie heuchlerisch das ganze Spiel war und was für einen Luxus es außerhalb der Universität gab. Nach dem Examen würde sie alles wollen – die leitende Position in London, die Wohnung, das Auto, ein gutes Gehalt, Weinlokale. Für ein Stück vom Kuchen würde sie alles über Bord schmeißen, woran sie geglaubt hatte. Aber das würde sie jetzt noch nicht verstehen. Jetzt lehnte sie sich erst mal gegen ihre Erziehung auf. Das war der Sinn der Universität. Sie alle glaubten, sie könnten die Welt verändern, sobald sie von den Eltern weg waren. Rebus hatte das auch geglaubt. Er hatte geglaubt, er würde mit Orden dekoriert und mit einer Liste von Auszeichnungen von der Armee nach Hause zurückkehren, nur um sie dort vorzeigen zu können. So war es allerdings nicht gewesen. Durch diese Überlegungen nachdenklich gestimmt, wollte er gerade die Kneipe verlassen, als ihm eine Stimme drei oder vier Barhocker weiter mit stark schottischem Akzent etwas zurief.

»Das hat noch nie gegen was genützt, was, mein Sohn?«

Eine alte Frau schenkte ihm diese Perlen der Weisheit aus einem Mund voller Karies. Rebus beobachtete, wie ihre Zunge in dieser schwarzen Höhle herumfuhr.

»Ja«, sagte er und bezahlte den Barmann, der ihm zum Dank seine grünen Zähne zeigte. Rebus hörte den Fernseher, das Klingeln der Registrierkasse, das laute Gerede der alten Männer, aber über dieser ganzen Kakophonie lag ein weiteres Geräusch, tief und rein, doch für ihn viel realer als alle anderen Geräusche.

Es war Gordon Reeves Schreien.

Lasst mich raus Lasst mich raus

Aber diesmal wurde es Rebus nicht schwindlig, er geriet auch nicht in Panik und rannte davon. Er hielt dem Geräusch stand und hörte sich an, was es zu sagen hatte, ließ es so lange über sich ergehen, bis es seinen Standpunkt klargemacht hatte. Er würde nie wieder vor dieser Erinnerung davonlaufen.

»Trinken hat noch nie gegen was genützt, mein Sohn«, fuhr seine persönliche Hexe fort. »Schau mich an. Früher war ich ja mal ganz proper, aber dann ist mein Mann gestorben, und alles ging den Bach runter. Weißt du, was ich meine, mein Sohn? Das Trinken war da ein großer Trost für mich, oder hab ich jedenfalls geglaubt. Aber es legt dich rein. Es treibt seine Spielchen mit dir. Du sitzt den ganzen Tag da und tust nichts weiter als trinken. Und das Leben geht an dir vorbei.«

Sie hatte Recht. Wie konnte er nur hier herumsitzen, Whisky in sich hineinschütten und sentimentalen Gedanken nachhängen, wo das Leben seiner Tochter an einem seidenen Faden hing? Er musste verrückt sein; ihm entglitt die Realität schon wieder. Die musste er zumindest im Auge behalten. Er könnte es noch mal mit Beten versuchen, doch das schien ihn nur noch weiter von den brutalen Tatsachen abzulenken, und jetzt jagte er Tatsachen hinterher und nicht Träumen. Und er hatte es mit der Tatsache zu tun, dass ein Verrückter aus seinen schlimmsten Träumen sich in seine Welt eingeschlichen und seine Tochter an sich gerissen hatte. Klang das vielleicht wie ein Märchen? Wenn ja, umso besser, dann musste es ja ein Happy-End geben.

»Sie haben ja so Recht«, sagte er. Er wollte schon gehen, deutete dann aber auf ihr leeres Glas. »Möchten Sie noch einen?«

Sie starrte ihn mit ihren wässrigen Augen an, dann wiegte sie den Kopf, als ob das für sie eine richtig schwere Entscheidung wäre.

»Für die Dame noch mal das Gleiche«, sagte Rebus zu dem Barmann mit den grünen Zähnen und reichte ihm ein paar Münzen. »Geben Sie ihr das Wechselgeld.« Dann verließ er die Bar.

»Ich muss mit Ihnen reden. Ich glaube, Sie auch mit mir.«

Direkt vor der Bar zündete sich Stevens reichlich melodramatisch, wie Rebus fand, eine Zigarette an. Im Licht der grellen Straßenbeleuchtung wirkte seine Haut fast gelb und so dünn, als könnte sie kaum seinen Schädel umspannen.

»Also, können wir reden?« Der Reporter steckte sein Feuerzeug wieder in die Tasche. Sein blondes Haar sah fettig aus, und er hatte sich mindestens einen Tag nicht rasiert. Außerdem sah er hungrig und verfroren aus.

Doch innerlich stand er unter Hochspannung.

»Sie haben mich ja ganz schön an der Nase herumgeführt, Mister Rebus. Darf ich Sie John nennen?«

»Hören Sie, Stevens, Sie wissen, was los ist. Ich hab genug am Hals, ohne dass Sie mich auch noch nerven.«

Rebus wollte an dem Reporter vorbeigehen, doch Stevens hielt ihn am Arm fest.

»Nein«, sagte er, »ich weiß *nicht*, was los ist, jedenfalls nicht den neusten Stand. Man hat mich offenbar zur Halbzeit vom Spielfeld geschickt.«

»Wie meinen Sie das?«

»Sie wissen ganz genau, wer hinter dieser Sache steckt. Natürlich wissen Sie das und Ihre Vorgesetzten auch. Oder etwa nicht? Haben die Ihnen die ganze Wahrheit und nichts als die Wahrheit erzählt, John? Haben die Ihnen das mit Michael erzählt?«

»Was ist mit ihm?«

»Na kommen Sie schon.« Stevens begann, von einem Fuß auf den anderen zu treten, und schaute sich zu den hohen Wohnblocks um und dem spätnachmitttäglichen Himmel darüber. Er zitterte und kicherte zugleich vor sich hin. Rebus erinnerte sich, dass ihm dieses merkwürdige Zittern bereits auf der Party aufgefallen war. »Wo können wir reden?«, fragte der Reporter jetzt. »Wie wär's mit dem Pub hier? Oder ist da einer drin, den ich nicht sehen soll?«

»Stevens, Sie müssen den Verstand verloren haben. Das ist

mein absoluter Ernst. Gehen Sie nach Hause, schlafen Sie ein bisschen, essen Sie was, nehmen Sie ein Bad, ganz egal, aber lassen Sie mich verdammt noch mal in Ruhe. Okay?«

»Und wenn nicht, was machen Sie dann mit mir? Sorgen dafür, dass der Gangsterfreund Ihres Bruders mich ein bisschen aufmischt? Hören Sie, Rebus, das Spiel ist vorbei. Das *weiß* ich. Aber ich weiß noch nicht alles. Es wäre klüger für Sie, mich zum Freund zu haben und nicht zum Feind. Halten Sie mich nicht für blöde. Aber dafür sind Sie wohl zu vernünftig. Lassen Sie mich nicht im Stich.«

Lass mich nicht im Stich

»Schließlich haben die Ihre Tochter. Sie brauchen meine Hilfe. Ich hab überall Freunde. Wir müssen das gemeinsam ausfechten.«

Rebus schüttelte verwirrt den Kopf.

»Sie haben keinen blassen Schimmer, wovon Sie reden, Stevens. Gehen Sie bitte nach Hause.«

Jim Stevens seufzte und schüttelte bedauernd den Kopf. Dann warf er seine Zigarette auf den Bürgersteig und trat sie heftig aus. Winzige brennende Tabakfasern schossen über den Asphalt.

»Also, es tut mir wirklich sehr Leid, John. Aber aufgrund der Beweise, die ich gegen ihn habe, wird man Michael sehr lange hinter Gitter stecken.«

»Beweise? Für was?«

»Seine Drogendealerei natürlich.«

Stevens sah den Schlag nicht kommen. Es hätte ihm aber auch nichts genützt. Es war ein heimtückischer Schlag, der von Rebus' Seite auf ihn zuschoss und ihn ganz tief im Magen erwischte. Der Reporter schnaufte kurz, dann ging er in die Knie.

»Lügner!«

Stevens hörte nicht auf zu schnaufen. Es war, als wäre er einen Marathon gelaufen. Er blieb auf den Knien, die Arme vor dem Bauch verschränkt, japste nach Luft.

»Wenn Sie meinen, John, aber es ist trotzdem wahr.« Er blickte zu Rebus auf. »Heißt das, Sie wissen wirklich nichts darüber? Überhaupt nichts?«

Das hatte Stevens nicht erwartet, das hatte er ganz und gar nicht erwartet.

»Nun ja«, sagte er, »damit erscheint das alles in einem anderen Licht. Mein Gott, ich brauch einen Drink. Kommen Sie mit? Ich glaube, jetzt sollten wir wirklich ein bisschen reden, finden Sie nicht? Ich werd Sie nicht lange aufhalten, aber Sie sollten es in jedem Fall wissen.«

Und natürlich wurde Rebus im Nachhinein klar, dass er es gewusst hatte. Aber er hatte es verdrängt. Am Todestag des alten Herrn, als er auf dem matschigen Friedhof gewesen war und anschließend Mickey besucht hatte, da hatte er im Wohnzimmer diesen Geruch nach kandierten Äpfeln bemerkt. Jetzt wusste er, was es gewesen war. Er hatte damals schon daran gedacht, war aber irgendwie abgelenkt gewesen. O Gott. Rebus fühlte, wie seine ganze Welt im Morast persönlichen Wahnsinns versank. Er hoffte, dass der Zusammenbruch nicht mehr weit war; er konnte nicht viel länger so weitermachen.

Kandierte Äpfel, Märchen, Sammy, Sammy, Sammy. Manchmal war es hart, sich an die Realität zu halten, wenn diese Realität einem über den Kopf wuchs. Dann funktionierte die automatische Sicherung. Der Schutz durch Zusammenbruch, durch Vergessen. Lachen und Vergessen.

»Diese Runde geht auf mich«, sagte Rebus, als er sich wieder beruhigt hatte.

Gill Templer fühlte sich in dem bestätigt, was sie schon immer gewusst hatte. Es steckte Methode dahinter, wie der Mörder die Mädchen aussuchte. Also musste er bereits vor der Entführung Zugang zu ihren Namen gehabt haben. Das bedeutete, dass die vier Mädchen irgendwas gemeinsam haben mussten, worüber Reeve an sie herangekommen war. Aber was? Sie hatten alles überprüft und festgestellt, dass die

Mädchen tatsächlich gewisse gemeinsame Hobbys hatten. Basketball, Popmusik und Bücher.

Basketball. Popmusik. Bücher.

Basketball. Popmusik. Bücher.

Das bedeutete, dass man die Basketballtrainer überprüfen musste (das waren alles Frauen, also streichen), Angestellte in Plattenläden und Diskjockeys, Angestellte in Buchhandlungen und Bibliothekare. Bibliotheken.

Bibliotheken.

Rebus hatte Reeve Geschichten erzählt. Samantha benutzte die städtische Zentralbibliothek. Das hatten die anderen Mädchen gelegentlich auch getan. Eines der Mädchen war gesehen worden, wie es an dem Tag, an dem es verschwand, den Mound Richtung Bibliothek hinaufging.

Doch Jack Morton hatte sich bereits in der Bibliothek umgehört. Einer der männlichen Mitarbeiter dort besaß einen blauen Ford Escort. Der Verdächtige war von der Liste gestrichen worden. Aber war dieses kurze Routinegespräch ausreichend gewesen? Sie würde mit Morton reden müssen. Dann würde sie selbst ein zweites Gespräch mit dem Mann führen. Sie wollte gerade nach Morton suchen, da klingelte ihr Telefon.

»Inspector Templer«, sagte sie in die beige Sprechmuschel.

»Das Mädchen stirbt heute Abend«, zischelte eine Stimme am anderen Ende.

Sie richtete sich so abrupt in ihrem Stuhl auf, dass er beinahe umgekippt wäre.

»Hören Sie«, sagte sie, »wenn Sie irgend so ein Spinner sind …«

»Schnauze, du Miststück. Ich bin kein Spinner, und das weißt du auch. Ich bin der Echte. Hör zu.« Von irgendwoher war ein erstickter Schrei zu hören, das Schluchzen eines Mädchens. Dann kehrte die zischelnde Stimme zurück. »Sag Rebus, er hätte Pech gehabt. Er kann allerdings nicht behaupten, ich hätte ihm keine Chance gegeben.«

»Hören Sie, Reeve, ich ...«

Sie hatte das nicht sagen wollen, hatte nicht preisgeben wollen, dass sie wussten, wer er war. Aber als sie Samanthas Schrei hörte, war sie durchgedreht. Jetzt hörte sie einen weiteren Schrei, das wahnsinnige Geheul eines Verrückten, dem man auf die Schliche gekommen ist. Ihr sträubten sich die Haare im Nacken. Die Luft um sie herum schien zu erstarren. Es war der Schrei des Todes persönlich in einer seiner vielen Verkleidungen. Es war der allerletzte Triumphschrei einer verlorenen Seele.

»Ihr wisst es«, sagte er keuchend, seine Stimme eine Mischung aus Furcht und Freude, »ihr wisst es, ihr wisst es, ihr wisst es. Seid ihr nicht wirklich schlau? Und du hast eine ganz sexy Stimme. Vielleicht komme ich dich irgendwann holen. War Rebus gut im Bett? War er? Sag ihm, dass ich sein kleines Mädchen hab und dass sie diese Nacht stirbt. Hast du verstanden? Diese Nacht.«

»Hören Sie, ich ...«

»Nein, nein, nein. Von mir kommt jetzt nichts mehr, Miss Templer. Sie hatten beinah genug Zeit, den Anruf zurückzuverfolgen. Tschüss.«

Klick. Brrr.

Zeit, den Anruf zurückzuverfolgen. Sie war dumm gewesen. Daran hätte sie sofort denken müssen, aber sie war gar nicht auf die Idee gekommen. Vielleicht hatte Superintendent Wallace ja Recht. Vielleicht war nicht nur John zu emotional in die ganze Sache verstrickt. Sie fühlte sich müde und alt und ausgelaugt. Sie hatte plötzlich das Gefühl, als wäre die ganze Ermittlerei eine unerträgliche Belastung und alle Verbrecher unbesiegbar. Ihre Augen nervten sie. Sie dachte daran, ihre Brille aufzusetzen, ihren persönlichen Schutzschild gegen die Welt.

Sie musste Rebus finden. Oder sollte sie zuerst Jack Morton suchen? John musste das erfahren. Sie hatten noch ein bisschen Zeit, wenn auch nicht viel. Die erste Vermutung musste die richtige sein. Wer zuerst? Rebus oder Morton? Sie entschied sich für John Rebus.

Aufgewühlt von Stevens' Enthüllungen ging Rebus zu seiner Wohnung zurück. Er musste einige Dinge in Erfahrung bringen. Mickey konnte warten. Er hatte bei der ganzen Rumrennerei an diesem Nachmittag zu viele schlechte Karten gezogen. Er musste sich mit seinem alten Arbeitgeber in Verbindung setzen, mit der Armee. Er musste ihnen klarmachen, dass ein Leben auf dem Spiel stand, und das gerade denen, die so eine merkwürdige Wertschätzung von Leben hatten. Es könnten eine Menge Anrufe nötig sein. Nun, dann war es halt so.

Doch als erstes rief er im Krankenhaus an. Rhona ging es gut. Das war eine Sorge weniger. Allerdings hatte man ihr immer noch nichts von Sammys Entführung gesagt. Rebus schluckte heftig. Hatte man ihr denn gesagt, dass ihr Liebhaber tot war? Hatte man nicht. Natürlich nicht. Er veranlasste, dass ihr ein Blumenstrauß geschickt wurde. Als er gerade seinen Mut zusammengenommen hatte, um die erste einer langen Liste von Nummern zu wählen, klingelte sein Telefon. Er ließ es eine Weile klingeln, doch der Anrufer war hartnäckig.

»Hallo?«

»John! Gott sei Dank. Ich hab überall nach dir gesucht.« Es war Gill. Sie klang nervös und aufgeregt, bemühte sich aber zugleich, Mitgefühl zu zeigen. Ihre Stimme überschlug sich mehrmals, und Rebus spürte, wie sich sein Herz – zumindest das, was davon für andere noch übrig war – für sie öffnete.

»Was ist los, Gill? Ist was passiert?«

»Ich hatte einen Anruf von Reeve.«

Rebus' Herz begann wie wild zu rasen. »Erzähl.«

»Nun ja, er hat einfach angerufen und gesagt, dass er Samantha hat.«

»Und?«

Gill schluckte heftig. »Und dass er sie diese Nacht umbringt.« Von Rebus' Ende kamen nur ein paar merkwürdige leise Geräusche. »John? Hallo, John?«

Rebus hörte auf, mit der Faust gegen den Telefonhocker zu schlagen. »Ja, ich bin hier. Herrgott. Hat er sonst noch was gesagt?«

»John, du solltest jetzt wirklich nicht allein sein. Ich könnte …«

»Hat er sonst noch was gesagt?« Jetzt brüllte er, sein Atem ging stoßweise, als wäre er zu schnell gelaufen.

»Nun ja, ich …«

»Ja?«

»Mir ist rausgerutscht, dass wir wissen, wer er ist.«

Rebus holte tief Luft, betrachtete seine Knöchel und stellte fest, dass er sich einen aufgeschlagen hatte. Er saugte an dem Blut und starrte aus dem Fenster. »Wie hat er darauf reagiert?«, sagte er schließlich.

»Er ist ausgerastet.«

»Das kann ich mir vorstellen. Ich hoffe, er hat es nicht an … O Gott. Was meinst du, warum er gerade dich angerufen hat?« Er hatte aufgehört, an seiner Verletzung zu lecken, und fing jetzt an, mit den Zähnen an seinen dunklen Fingernägeln zu reißen und die Schnipsel durch das Zimmer zu spucken.

»Immerhin bin ich die Pressesprecherin in diesem Fall. Er könnte mich im Fernsehen gesehen oder meinen Namen in der Zeitung gelesen haben.«

»Oder vielleicht hat er uns zusammen gesehen. Er könnte mich schon die ganze Zeit beobachtet haben.« Er sah aus dem Fenster, wo ein schäbig gekleideter Mann vorbeischlurfte und sich gerade bückte, um einen Zigarettenstummel aufzuheben. Mein Gott, er brauchte dringend eine Zigarette. Er sah sich nach einem Aschenbecher um, in dem vielleicht ein paar wieder verwendbare Kippen lagen.

»Auf die Idee bin ich nie gekommen.«

»Wie solltest du auch? Bis gestern wussten wir ja nicht, dass das irgendwas mit mir zu tun hat. War das wirklich erst gestern? Kommt mir vor, als wäre das schon Tage her. Aber überleg mal, Gill, am Anfang wurden die Briefe persönlich abgegeben.« Er zündete sich die Überreste einer Zigarette an und sog den stechenden Rauch ein. »Er war ganz in meiner Nähe, und ich hab nichts empfunden, noch nicht mal ein Kribbeln. So viel zum Thema sechster Sinn eines Polizisten.«

»Apropos sechster Sinn, John. Ich hatte da so eine Eingebung.« Gill stellte erleichtert fest, dass seine Stimme allmählich ruhiger wurde. Sie selbst hatte sich auch ein wenig beruhigt. Es war, als würden sie sich gegenseitig helfen, sich auf einem sturmgepeitschten Meer an ein überfülltes Rettungsboot zu klammern.

»Was denn?« Rebus ließ sich in seinen Sessel sinken und sah sich in dem spärlich möblierten Zimmer um, das staubig und unaufgeräumt war. Er sah das Glas, das Michael benutzt hatte, einen Teller mit Toastkrümeln, zwei leere Zigarettenpäckchen und zwei Kaffeetassen. Er würde diese Wohnung bald verkaufen, egal was er dafür bekommen würde. Er würde von hier wegziehen. Ganz bestimmt.

»Bibliotheken«, sagte Gill gerade, während sie sich in ihrem Büro umsah. Sie starrte auf die Akten, die Berge von Papierarbeit, das Durcheinander von Monaten und Jahren, und hörte deutlich das leise Brummen der elektronischen Geräte. »Das Einzige, was alle Mädchen einschließlich Samantha gemeinsam haben. Sie benutzten, wenn auch nicht regelmäßig, dieselbe Bibliothek, die Zentralbibliothek. Reeve könnte dort mal gearbeitet haben und so an die Namen herangekommen sein, die er für sein Puzzle brauchte.«

»Das ist bestimmt ein guter Gedanke«, sagte Rebus plötzlich ganz interessiert. Aber es war sicher ein zu großer Zufall – oder etwa nicht? Doch wie könnte man besser Informationen über John Rebus sammeln, als sich für einige Monate oder Jahre einen ruhigen Job zu besorgen? Wie könnte man besser junge Mädchen in die Falle locken, als Bibliothekar zu spielen? Reeve war also tatsächlich untergetaucht, und zwar so gut getarnt, dass er praktisch unsichtbar war.

»Zufällig ist dein Freund Jack Morton bereits bei der Zentralbibliothek gewesen«, fuhr Gill fort. »Er hat dort einen Verdächtigen überprüft, der einen blauen Escort besitzt. Er hat den Mann als völlig harmlos eingestuft.«

»Ja, und dem Yorkshire Ripper hat man mehr als einmal bescheinigt, er sei harmlos, oder etwa nicht? Das sollten wir noch einmal überprüfen. Wie ist der Name des Verdächtigen?«

»Keine Ahnung. Ich hab versucht, Jack Morton zu finden, aber er ist irgendwo unterwegs. John, ich hab mir Sorgen um dich gemacht. Wo warst du? Ich hab die ganze Zeit versucht, dich zu finden.«

»Das würde ich als Verschwendung wertvoller Zeit und Arbeitskraft bezeichnen, Inspector Templer. Nimm dir wieder eine *richtige* Aufgabe vor. Finde Jack. Finde diesen Namen heraus.«

»Ja, Sir.«

»Ich bin noch eine Weile hier, falls du mich brauchst. Ich muss einige private Anrufe erledigen.«

»Ich hab gehört, dass Rhona in stabilem ...« Aber Rebus hatte bereits den Hörer aufgelegt. Gill rieb sich seufzend das Gesicht. Sie hätte dringend etwas Ruhe gebraucht. Sie beschloss, jemanden zur Wohnung von John Rebus rüberzuschicken. Sie konnte nicht riskieren, dass er die ganze Zeit vor sich hin grübelte und irgendwann vielleicht explodierte. Und dann musste sie diesen Namen herausfinden. Sie musste Jack Morton finden.

Rebus machte sich Kaffee. Er überlegte, ob er Milch besorgen sollte, beschloss dann aber, den Kaffee bitter und schwarz zu trinken, was dem Geschmack und der Farbe seiner Gedanken entsprach. Er dachte über Gills Idee nach. Reeve als

Bibliothekar? Es schien unwahrscheinlich, undenkbar, doch alles, was ihm in letzter Zeit passiert war, war im Grunde undenkbar gewesen. Rationalität konnte äußerst hinderlich sein, wenn man mit dem Irrationalen konfrontiert war. Man musste sich in seinen Gegner hineinversetzen. Akzeptieren, dass Gordon Reeve sich einen Job in der Bibliothek besorgt hatte, irgendetwas Unauffälliges, aber entscheidend für seinen Plan. Und plötzlich schien es John Rebus genauso plausibel wie zuvor Gill. »Für die, die zwischen den Zeilen lesen können.« Für die, die mit Büchern zu tun haben, zwischen einer Zeit (Dem Kreuz) und einer anderen (der Gegenwart). Mein Gott, war denn nichts in seinem Leben willkürlich? Nein, überhaupt nichts. Hinter dem scheinbar Irrationalen zeichnete sich deutlich ein Muster ab. Hinter dieser Welt lag eine andere. Reeve war in der Bibliothek, davon war Rebus jetzt absolut überzeugt. Es war fünf Uhr. Er könnte kurz vor Schließung in der Bibliothek sein. Aber würde Gordon Reeve noch dort sein oder wäre er weitergezogen, nun, wo er sein letztes Opfer hatte?

Doch Rebus wusste, dass Sammy nicht Reeves letztes Opfer war. Sie war überhaupt kein »Opfer«. Sie war nur ein weiteres Mittel zum Zweck. Es konnte nur ein Opfer geben – Rebus selbst. Und aus diesem Grund würde Reeve immer noch in der Nähe sein, immer noch in Rebus' Reichweite. Denn Reeve wollte gefunden werden, wenn auch langsam, eine Art umgekehrtes Katz-und-Maus-Spiel. Rebus erinnerte sich an das Katz-und-Maus-Spiel, wie sie es in der Schule gespielt hatten. Manchmal wollte der Junge, der von einem Mädchen gejagt wurde, oder das Mädchen, das von einem Jungen gejagt wurde, gefangen werden, weil er oder sie etwas für den Jäger empfanden. Und dadurch wurde das Ganze etwas anderes, als es nach außen hin zu sein schien. Das war Reeves Spiel. Katz und Maus, und er war die Maus mit dem Stachel im Schwanz und den scharfen Zähnen, und Rebus war die Katze, weich wie Seide, geschmeidig wie Fell und ganz mit sich zufrieden. Gordon Reeve hatte keine Zufriedenheit gekannt, jedenfalls viele Jahre lang nicht, nicht seitdem er von dem einen betrogen worden war, den er Bruder genannt hatte.

Nur einen Kuss

Die Maus sitzt in der Falle.

Der Bruder, den ich nie gehabt habe

Der arme Gordon Reeve, wie er auf diesem schmalen Rohr balancierte, wie ihm die Pisse die Beine hinunterlief und alle ihn auslachten.

Und der arme John Rebus, der von seinem Vater und seinem Bruder wie Luft behandelt wurde, von einem Bruder, der kriminell geworden war und irgendwann bestraft werden musste.

Und die arme Sammy. Sie war diejenige, an die er denken sollte. Denk nur an sie, John, und alles wird wieder gut.

Doch obwohl dies ein ernsthaftes Spiel war, ein Spiel um Leben und Tod, durfte er nicht vergessen, dass es immer noch ein Spiel war. Rebus wusste jetzt, dass er es mit Reeve zu tun hatte. Aber wenn er ihn gefasst hatte, was würde dann passieren? Die Rollen würden sich irgendwie vertauschen. Er kannte noch nicht alle Regeln. Es gab nur eine einzige Möglichkeit, sie zu lernen. Er ließ den Kaffee neben dem anderen schmutzigen Geschirr auf dem Couchtisch kalt werden. Er hatte bereits genug Bitterkeit im Mund.

Und dort draußen in dem stahlgrauen Nieselregen musste ein Spiel beendet werden.

XXVII

Der Weg von seiner Wohnung in Marchmont zur Bibliothek wäre eigentlich ein schöner Spaziergang gewesen, auf dem sich Edinburgh von seiner besten Seite zeigte. Er ging durch eine Grünanlage namens The Meadows, und direkt vor ihm ragte das große graue Schloss in die Höhe. Über seinen

Schutzmauern wehte eine Fahne im feinen Nieselregen. Er ging am Royal Infirmary vorbei, Stätte berühmter Namen und Entdeckungen, an Teilen der Universität und am Greyfriars Kirkyard mit der winzigen Statue von Greyfriars Bobby. Wie viele Jahre hatte dieser kleine Hund neben dem Grab seines Herrchens gelegen? Wie viele Jahre war Gordon Reeve mit hasserfüllten Gedanken an John Rebus abends schlafen gegangen? Er schauderte. Sammy, Sammy, Sammy. Er hoffte, er würde die Gelegenheit bekommen, seine Tochter besser kennen zu lernen. Er hoffte, er könnte ihr sagen, dass sie schön sei und dass sie sehr viel Liebe in ihrem Leben finden werde. Lieber Gott, hoffentlich war sie am Leben.

Während er über die George-IV-Brücke ging, die Touristen und anderes Volk zum Grassmarket führte, in sicherer Entfernung von den Stadtstreichern und Obdachlosen dieser Gegend, diesen Armen der Neuzeit, die nicht wussten, wo sie hin sollten, dachte John Rebus über einige Dinge nach. Zum einen würde Reeve bewaffnet sein. Zum anderen könnte er sich verkleidet haben. Er erinnerte sich, wie Sammy von den Pennern erzählt hatte, die den ganzen Tag in der Bibliothek herumsaßen. Er könnte einer von ihnen sein. Er fragte sich, was er tun würde, wenn er Reeve schließlich von Angesicht zu Angesicht gegenüberstand. Was würde er sagen? Fragen und Vermutungen begannen ihn mehr und mehr zu beunruhigen, ängstigten ihn schließlich fast so sehr wie das Wissen, dass Sammy in den Händen von Reeve ein langes qualvolles Ende bevorstehen würde. Doch sie war ihm wichtiger als die Erinnerung, sie war die Zukunft. Und so ging er entschlossenen Schrittes und ohne Angst zu zeigen auf die gotische Fassade der Bibliothek zu.

Vor dem Eingang verkündete ein Zeitungsverkäufer, dessen Mantel sich wie feuchtes Seidenpapier um ihn wickelte, lautstark die neuesten Nachrichten, heute mal nichts über den Würger, sondern über irgendein Schiffsunglück. Nachrichten waren kurzlebig. Rebus machte einen Bogen um den Mann und sah sich dessen Gesicht genau an. Zugleich fiel ihm auf, dass seine Schuhe mal wieder voll Wasser gelaufen waren, dann trat er durch die Pendeltür aus Eiche.

Am Empfangstisch saß ein Wachmann und blätterte in einer Zeitung. Er hatte keinerlei Ähnlichkeit mit Gordon Reeve. Rebus atmete tief durch und versuchte, sein Zittern unter Kontrolle zu bekommen.

»Wir schließen gerade«, sagte der Wachmann hinter seiner Zeitung.

»Ja, ich weiß.« Dem Wachmann schien der Tonfall von Rebus' Stimme nicht zu gefallen; es war eine harte, eisige Stimme, die er wie eine Waffe einsetzte. »Mein Name ist Rebus. Detective Sergeant Rebus. Ich suche einen Mann namens Reeve, der hier arbeitet. Ist er da?«

Rebus hoffte, dass er sich gelassen anhörte. Er war nämlich alles andere als gelassen. Der Wachmann ließ seine Zeitung auf dem Stuhl liegen und lehnte sich zu Rebus herüber. Er betrachtete ihn, als ob er ihm nicht traute. Das war gut, genau so wollte es Rebus.

»Kann ich Ihren Ausweis sehen?«

Unbeholfen, da seine Finger ihm nicht richtig gehorchen wollten, fischte Rebus seinen Ausweis aus der Brieftasche. Der Wachmann starrte eine Zeit lang darauf, dann sah er wieder Rebus an.

»Reeve haben Sie gesagt?« Er gab Rebus den Ausweis zurück und holte eine Namensliste hervor, die an einem Klemmbrett aus gelbem Plastik hing. »Reeve, Reeve, Reeve. Nein, hier arbeitet kein Reeve.«

»Sind Sie sicher? Er ist vielleicht kein Bibliothekar. Er könnte auch beim Reinigungstrupp sein oder so.«

»Nein, auf meiner Liste stehen alle drauf, vom Direktor bis zum Pförtner. Sehen Sie, da ist mein Name. Simpson. Jeder steht auf dieser Liste. Er wäre auf dieser Liste, wenn er hier arbeitete. Sie müssen sich irren.«

Nach und nach verließ das Personal unter lautem »bis morgen« und »gute Nacht« das Gebäude. Wenn er sich nicht beeilte, war Reeve fort. Falls er überhaupt noch hier arbeitete. Es war ein so dünner Strohhalm, so eine schwache Hoffnung, dass Rebus schon wieder in Panik geriet.

»Kann ich diese Liste mal sehen?« Er streckte eine Hand aus und legte alle Autorität, die er aufbringen konnte, in seinen Blick. Der Wachmann zögerte, dann gab er ihm die Liste. Rebus begann sie hektisch auf Anagramme oder sonstige Anhaltspunkte durchzusehen.

Er brauchte nicht lange zu suchen.

»Ian Knott«, flüsterte er vor sich hin. Ian Knott. Gordischer Knoten, Kreuzknoten. Gordon hat schon sein liebes Kreuz mit den Knoten. Er fragte sich, ob Gordon Reeve ihn riechen konnte. Er konnte Reeve riechen. Er war nur wenige Meter von ihm entfernt, vielleicht nur eine Treppe. Mehr nicht.

»Wo arbeitet Ian Knott?«

»Mister Knott? Er arbeitet Teilzeit in der Kinderabteilung. Der netteste Mann, den man sich vorstellen kann. Warum? Was hat er getan?«

»Ist er heute da?«

»Ich glaube ja. Ich glaube, er kommt jeden Nachmittag die letzten beiden Stunden. Was soll das alles?«

»In der Kinderabteilung, haben Sie gesagt? Das ist im Untergeschoss, oder?«

»Ganz recht.« Der Wachmann war jetzt ganz außer sich. Er merkte, wenn etwas nicht stimmte. »Ich ruf nur schnell unten an und sag ihm …«

Rebus lehnte sich so weit über den Tisch, dass seine Nase die des Wachmanns berührte. »Du tust gar nichts, verstanden? Wenn du es wagst, den da unten anzurufen, dann komme ich wieder rauf und trete dir dieses Telefon so tief in den Arsch, dass du mit dir selber telefonieren kannst. Ist das klar?«

Der Wachmann nickte langsam und nachdenklich, doch

Rebus hatte ihm bereits den Rücken gekehrt und lief auf die blank geputzte Treppe zu.

In der Bibliothek roch es nach alten Büchern, nach Feuchtigkeit, Messing und Bohnerwachs. Für Rebus' Nase war es der Geruch von Konfrontation, ein Geruch, der ihn auf ewig verfolgen würde. Während er die Treppe hinabstieg in das Herz der Bibliothek, erinnerte ihn der Geruch daran, wie es war, mitten in der Nacht mit einem Wasserschlauch kalt abgespritzt zu werden, wie es war, jemandem die Waffe gewaltsam zu entreißen, erinnerte ihn an einsame Märsche, an Waschhäuser, an diesen ganzen Alptraum. Er konnte plötzlich Farben und Geräusche und Empfindungen riechen. Es gab ein Wort für dieses Gefühl, aber es fiel ihm im Augenblick nicht ein.

Um sich zu beruhigen, zählte er die Stufen nach unten. Zwölf Stufen, dann um eine Ecke, dann noch mal zwölf. Er landete vor einer Glastür mit einem kleinen Bild – ein Teddybär mit einem Springseil. Der Bär lachte über irgendwas. Rebus kam es so vor, als lächelte er ihn an. Es war kein angenehmes Lächeln, eher ein selbstgefälliges Grinsen. Komm herein, komm herein, wer auch immer du bist. Er versuchte in den Raum hineinzusehen. Es war niemand da, keine Menschenseele. Ganz leise schob er die Tür auf. Keine Kinder, keine Bibliothekarinnen. Aber er konnte hören, wie jemand Bücher in ein Regal ordnete. Das Geräusch kam von der Rückseite einer Trennwand hinter der Ausleihtheke. Rebus schlich auf Zehenspitzen zu der Theke und drückte auf die dort angebrachte Klingel.

Hinter der Trennwand kam, summend und unsichtbare Staubflocken von den Händen reibend, ein älterer, rundlicher gewordener Gordon Reeve lächelnd hervor. Er sah selbst ein bisschen wie ein Teddybär aus. Rebus' Hände umklammerten den Rand der Theke.

Gordon Reeve hörte auf zu summen, als er Rebus sah, doch das Lächeln behielt seine täuschende Wirkung. Es ließ sein Gesicht unschuldig, normal und harmlos erscheinen.

»Schön dich zu sehen, John«, sagte er. »Jetzt hast du mich also doch aufgespürt, du alter Teufel. Wie geht es dir?« Er hielt Rebus seine Hand hin. Doch John Rebus wusste, er würde hilflos zusammenbrechen, wenn er die Schreibtischkante losließ.

Jetzt konnte er sich wieder ganz genau an Gordon Reeve erinnern, an jedes Detail aus der Zeit, die sie zusammen verbracht hatten. Er erinnerte sich an die Gesten des Mannes, an seine Spötteleien und an das, was er dachte. Blutsbrüder waren sie gewesen, hatten zusammen gelitten, waren fast in der Lage gewesen, die Gedanken des anderen zu lesen. Und Blutsbrüder würden sie wieder sein. Rebus konnte es in den wahnsinnigen, klaren Augen seines lächelnden Peinigers erkennen. Er hatte das Gefühl, als ob das Meer durch seine Adern jagte, in seinen Ohren dröhnte. Das war es also. Das war es, was von ihm erwartet worden war.

»Ich will Samantha«, erklärte er. »Ich will sie lebend, und ich will sie jetzt. Danach können wir die Sache regeln, wie immer du willst. Wo ist sie, Gordon?«

»Weißt du, wie lange es her ist, dass mich jemand so genannt hat? Ich bin schon so lange Ian Knott, dass ich von mir selber kaum noch als ›Gordon Reeve‹ denken kann.« Er lächelte und warf einen Blick über Rebus' Schulter. »Wo ist die Kavallerie, John? Du willst mir doch nicht weismachen, du wärst allein hierher gekommen? Das wäre doch wohl gegen die Vorschriften, oder etwa nicht?«

Rebus hütete sich, ihm die Wahrheit zu sagen. »Keine Sorge, die ist draußen. Ich bin allein reingekommen, um mit dir zu reden, aber ich hab reichlich Freunde da draußen. Du bist am Ende, Gordon. Und jetzt sag mir, wo sie ist.«

Doch Gordon Reeve schüttelte kichernd den Kopf. »Na hör mal, John. Das wär doch nicht dein Stil, jemanden mitzubringen. Du darfst nicht vergessen, dass ich dich *kenne.*« Er wirkte plötzlich müde. »Ich kenne dich ja so gut.« Seine sorgfältige Maskerade fiel Stück für Stück von ihm ab. »Nein, du bist schon allein. Ganz allein. So wie ich es war, erinnerst du dich noch?«

»Wo ist sie?«

»Sag ich dir nicht.«

Der Mann war zweifellos wahnsinnig, vielleicht war er das schon immer gewesen. Er sah so aus, wie er vor jenen furchtbaren Tagen in ihrer Zelle ausgesehen hatte, am Rande eines Abgrunds stehend, eines Abgrunds, den er in seinem eigenen Kopf geschaffen hatte. Aber gleichzeitig furchterregend, aus dem einfachen Grund, weil seinem Wahnsinn nicht mit körperlicher Gewalt beizukommen war. Wie er da saß, umgeben von bunten Plakaten, Zeichnungen und Bilderbüchern, war er für Rebus der am gefährlichsten aussehende Mann, dem er je begegnet war.

»Warum?«

Reeve sah ihn verwundert an, wie er so eine kindische Frage stellen konnte. Er schüttelte den Kopf, immer noch lächelnd, das Lächeln einer Hure, das kalte, professionelle Lächeln eines Killers.

»Du weißt warum«, sagte er. »Wegen allem. Weil du mich im Stich gelassen hast, als wären wir tatsächlich in der Hand des Feindes gewesen. Du bist desertiert, John. Du hast mich meinem Schicksal überlassen. Du weißt doch, welche Strafe darauf steht? Welche Strafe auf Desertieren steht?«

Reeves Stimme klang mittlerweile hysterisch. Er kicherte erneut, versuchte, sich zu beruhigen. Rebus stellte sich auf Gewalt ein, pumpte Adrenalin durch seinen Körper, ballte die Fäuste und spannte die Muskeln.

»Ich kenne deinen Bruder.«

»Was?«

»Deinen Bruder Michael, ich kenne ihn. Wusstest du nicht, dass er ein Drogendealer ist? Nun ja, eher ein kleiner Pusher. Jedenfalls steckt er bis zum Hals in Problemen, John. Eine Zeit lang hab ich ihn mit Stoff versorgt. Lange genug, um alles Mögliche über dich zu erfahren. Michael lag viel daran, mich zu überzeugen, dass er kein Spitzel war, kein Polizeiinformant. Er hat bereitwillig alles über dich ausgeplaudert, bloß damit wir ihm glaubten. Er war immer der Meinung, dass irgendeine große Organisation dahintersteckte, deshalb das ›wir‹, dabei war das nur ich, der kleine Gordon. War das nicht clever von mir? Deinen Bruder hab ich bereits auf Eis liegen. Du weißt doch, dass sein Kopf in der Schlinge hängt? Man könnte es als Plan für Eventualfälle bezeichnen.«

Er hatte John Rebus' Bruder, und er hatte seine Tochter. Es gab nur noch eine weitere Person, die er wollte, und Rebus war ihm direkt in die Falle gelaufen. Er brauchte Zeit zum Nachdenken.

»Wie lange hast du das alles geplant?«

»Ich weiß nicht so genau.« Er lachte und wirkte dabei immer selbstbewusster. »Vermutlich seit du desertiert bist. Mit Michael war das im Grunde ganz einfach. Er wollte schnelles Geld. Ich hab ihn davon überzeugt, dass Drogen die Antwort waren. Er steckt bis zum Hals drin, dein Bruder.« Das letzte Wort spuckte er Rebus ins Gesicht, als ob es Gift wäre. »Durch ihn habe ich noch ein bisschen mehr über dich erfahren, und das wiederum machte alles noch etwas leichter.« Reeve zuckte die Schultern. »Also, wenn du mich verpfeifst, verpfeife ich ihn.«

»Das funktioniert nicht. Dafür bin ich viel zu scharf drauf, dich zu kriegen.«

»Dann würdest du also deinen Bruder im Gefängnis verrotten lassen? Wie du willst. Ich gewinne so oder so. Siehst du das nicht?«

Ja, Rebus konnte es sehen, aber nur ganz verschwommen, als ob er in einem heißen Klassenzimmer eine schwierige Gleichung an der Tafel entziffern müsste.

»Wie ist es dir überhaupt ergangen?«, fragte er jetzt, ohne genau zu wissen, weshalb er Zeit zu gewinnen versuchte. Er war hier hineingestürmt, planlos und ohne einen Gedanken an seine eigene Sicherheit. Und jetzt blieb ihm nichts anderes übrig, als auf Reeves nächsten Zug zu warten, der mit Sicherheit kommen würde. »Ich meine, was ist passiert, nachdem ich ... desertiert bin?«

»Ach so, danach haben die mich ganz schnell kleingekriegt.« Reeve gab sich ganz gelassen. Er konnte es sich leisten. »Ich wurde entlassen. Die haben mich eine Zeit lang in ein Krankenhaus gesteckt und dann gehen lassen. Ich hab gehört, dass du plemplem geworden wärst. Das hat mich ein bisschen aufgeheitert. Aber dann hörte ich das Gerücht, du wärst zur Polizei gegangen. Und ich konnte den Gedanken nicht ertragen, dass du dir ein angenehmes Leben machen würdest. Nicht nach dem, was wir durchgemacht hatten und was du getan hast.« Sein Gesicht begann ein wenig zu zucken. Seine Hände ruhten auf dem Schreibtisch. Rebus nahm den leicht säuerlichen Schweißgeruch wahr, der von ihm ausging. Er sprach, als ob er kurz vorm Einschlafen wäre. Doch Rebus wusste, dass er mit jedem Wort gefährlicher wurde, aber er konnte sich nicht zum Handeln aufraffen, noch nicht.

»Du hast ja ganz schön lange gebraucht, um dich endlich an mir zu rächen.«

»Aber das Warten hat sich gelohnt.« Reeve rieb sich die Wange. »Manchmal hab ich geglaubt, ich könnte sterben, bevor alles vollendet ist, aber ich glaube, ich wusste letztlich, dass das nicht passieren würde.« Er lächelte. »Komm mit, John. Ich muss dir etwas zeigen.«

»Sammy?«

»Sei doch nicht so dämlich.« Das Lächeln verschwand wieder, allerdings nur für eine Sekunde. »Meinst du etwa, ich würde sie hier halten? Nein, aber ich habe was anderes, das dich sicher interessieren wird. Komm mit.«

Er führte Rebus hinter die Trennwand. Rebus, dessen Nerven zum Zerreißen gespannt waren, betrachtete Reeves Rücken. Seine Muskeln waren von einer Fettschicht bedeckt, die auf ein bequemes Leben schließen ließ. Ein Bibliothekar. Ein *Kinder*-Bibliothekar. Und Edinburghs hauseigener Massenmörder. Hinter der Trennwand waren Regale voller Bücher. Einige waren willkürlich aufeinander gestapelt, andere ordentlich aufgereiht, Buchrücken an Buchrücken.

»Die müssen alle neu einsortiert werden«, sagte Reeve mit einer gebieterischen Handbewegung. »Du warst es, der mein Interesse für Bücher geweckt hat, John. Kannst du dich erinnern?«

»Ja, ich habe dir Geschichten erzählt.« Rebus hatte angefangen, über Michael nachzudenken. Ohne ihn wäre Reeve vielleicht nie gefunden worden, vielleicht noch nicht mal in Verdacht geraten. Und jetzt würde er ins Gefängnis kommen. Armer Mickey.

»Wo hab ich es gleich hingetan? Ich weiß, dass es irgendwo ist. Ich habe es beiseite gelegt, um es dir zu zeigen, falls du mich je finden würdest. Du hast weiß Gott lange dafür gebraucht. Du warst nicht sehr helle, was, John?«

Es war leicht zu vergessen, dass dieser Mann geisteskrank war, dass er drei Mädchen nur so aus Spaß umgebracht und ein weiteres in seiner Gewalt hatte. Es war so leicht.

»Nein«, sagte Rebus, »ich war nicht sehr helle.«

Er merkte, wie er immer angespannter wurde. Die Luft um ihn herum schien dünner zu werden. Gleich würde irgendetwas passieren. Er konnte es spüren. Und um es zu verhindern, hätte er Reeve nur die Fäuste in die Nieren rammen, einen harten Schlag in den Nacken geben, ihm Handschellen anlegen und ihn nach draußen schaffen müssen.

Und warum tat er das nicht einfach? Er wusste es selber nicht. Er wusste nur, dass was immer passieren sollte, auch passieren würde, dass es festgelegt war wie der Plan für ein Haus oder wie eines dieser Nullen-und-Kreuze-Spiele von vor vielen Jahren. Reeve hatte das Spiel begonnen. Dadurch war Rebus in einer Position, in der er nicht gewinnen konnte. Trotzdem musste das Spiel beendet werden. Dieses Wühlen in den Regalen musste sein, das Gesuchte musste gefunden werden.

»Ah, da ist es ja. Es ist ein Buch, das ich gerade lese ...«

John Rebus wunderte sich, warum es so gut versteckt war, wenn Reeve es doch gerade las.

»*Schuld und Sühne*. Du hast mir die Geschichte erzählt, erinnerst du dich?«

»Und ob ich mich erinnere. Ich hab sie dir mehr als einmal erzählt.«

»Ja, John, das stimmt.«

Es handelte sich um eine teure, in Leder gebundene Ausgabe, die schon ziemlich alt war. Es sah nicht wie ein Bibliotheksbuch aus. Reeve ging damit um, als ob er Gold oder Diamanten in Händen hielte, als ob er in seinem ganzen Leben noch nie so etwas Kostbares besessen hätte. »Da ist eine Illustration drin, die ich dir zeigen wollte. Erinnerst du dich, was ich über den guten alten Raskolnikow gesagt habe?«

»Du hast gesagt, er hätte sie alle erschießen sollen ...«

Rebus begriff die unterschwellige Bedeutung eine Sekunde zu spät. Er hatte diesen Hinweis genauso missverstanden wie so viele andere von Reeves Hinweisen. Inzwischen hatte Gordon Reeve mit leuchtenden Augen das Buch geöffnet und einen kleinen stumpfnasigen Revolver aus seinem ausgehöhlten Inneren hervorgeholt. Während er die Waffe auf Rebus' Brust richtete, machte dieser einen Satz nach vorn und knallte Reeve seinen Kopf gegen die Nase. Planung war eine Sache, aber manchmal bedurfte es eben einer schmutzigen Eingebung. Mit einem lauten Krachen brach die Nase. Blut und Schleim flossen heraus. Reeve stöhnte auf, Rebus schob mit einer Hand den bewaffneten Arm von sich weg. Nun schrie Reeve, ein Schrei aus der Vergangenheit, aus so vielen erlebten Alpträumen. Das brachte Rebus aus dem Gleichgewicht, versetzte ihn wieder zurück zur Szene seines Verrats. Er sah die Wächter vor sich, die geöffnete Tür und wie er den Schreien des eingesperrten Mannes den Rücken kehrte. Die Szene vor ihm verschwamm, stattdessen war eine Explosion zu hören.

Aus dem leichten Schlag gegen seine Schulter wurde rasch ein sich immer weiter ausbreitendes taubes Gefühl und dann ein starker Schmerz, der seinen ganzen Körper zu erfassen schien. Er griff an seine Jacke, fühlte, wie das Blut durch das Polster sickerte, durch den dünnen Stoff. Mein Gott, so war es also, angeschossen zu werden. Erst glaubte er, ihm würde schlecht oder er würde umkippen, doch dann spürte er, wie eine Kraft von ihm Besitz ergriff, die direkt aus seiner Seele kam. Es war die reine, blinde Wut. Dieses Spiel würde er nicht verlieren. Er sah, wie Reeve sich den Schmodder aus dem Gesicht wischte und versuchte, die Tränen zu unterdrücken. Den Revolver hielt er immer noch schwankend vor sich. Rebus nahm sich ein schwer aussehendes Buch und schlug damit so fest gegen Reeves Hand, dass der Revolver in einem Haufen Bücher landete.

Und dann war Reeve fort. Er taumelte durch die Regale und riss sie hinter sich um. Rebus ging zum Schreibtisch zurück und forderte telefonisch Hilfe an, immer ein wachsames Auge darauf, ob Reeve vielleicht zurückkam. Dann herrschte Stille im Raum. Er setzte sich auf den Fußboden.

Plötzlich flog die Tür auf und William Anderson kam herein, schwarz gekleidet wie das Urbild eines Racheengels. Rebus lächelte.

»Wie zum Teufel haben Sie mich denn gefunden?«

»Ich bin Ihnen schon längere Zeit gefolgt.« Anderson beugte sich herab, um Rebus' Arm zu untersuchen. »Ich hab den Schuss gehört. Ich nehme an, Sie haben unseren Mann gefunden.«

»Er ist immer noch irgendwo hier drinnen. Unbewaffnet. Der Revolver liegt da drüben.«

Anderson band ein Taschentuch um Rebus' Schulter.

»Sie brauchen einen Krankenwagen, John.« Aber Rebus hatte sich bereits wieder aufgerafft.

»Noch nicht. Bringen wir das hier erst zu Ende. Wieso habe ich Sie nicht gesehen, als Sie mich verfolgt haben?«

Anderson gestattete sich ein Lächeln. »Nur ein sehr guter Polizist würde merken, dass *ich* ihn verfolge, und Sie sind nicht sehr gut, John. Sie sind nur gerade mal gut.«

Sie gingen hinter die Trennwand und begannen, sich vorsichtig durch die Regale vorzuarbeiten. Rebus hatte die Waffe aufgehoben und schob sie tief in seine Tasche. Von Gordon Reeve keine Spur.

»Sehen Sie mal da.« Anderson zeigte auf eine halb offen stehende Tür auf der anderen Seite der Regale. Sie gingen immer noch vorsichtig darauf zu, und Rebus stieß sie ganz auf. Dahinter lag eine steile, schlecht beleuchtete Eisentreppe. Sie schien in Windungen direkt hinunter in das Fundament der Bibliothek zu führen. Es gab keinen anderen Weg als hinunter.

»Darüber hab ich mal was gehört«, flüsterte Anderson. Sein Flüstern hallte in dem tiefen Schacht wider, während sie hinabstiegen. »Die Bibliothek wurde auf dem Gelände des alten Gerichtsgebäudes gebaut, und die Zellen, die darunter waren, sind immer noch da. Die Bibliothek lagert darin alte Bücher. Da ist ein wahres Labyrinth von Zellen und Durchgängen, es führt direkt unter die Innenstadt.«

Als sie tiefer kamen, trat anstelle der glatt verputzten Wände uraltes Mauerwerk. Rebus konnte den Schimmel riechen, ein alter bitterer Geruch aus einem früheren Zeitalter.

»Dann könnte er ja überall sein.«

Anderson zuckte die Schultern. Sie hatten den Fuß der Treppe erreicht und befanden sich in einem breiten Gang, in dem keine Bücher waren. Doch von diesem Gang gingen Nischen ab – die alten Zellen vermutlich –, in denen reihenweise Bücher gestapelt waren. Sie schienen nach keinem Prinzip geordnet zu sein. Es waren einfach alte Bücher.

»Vermutlich kann er hier irgendwo raus«, flüsterte Anderson. »Ich glaube, es gibt Ausgänge, die zum heutigen Gerichtsgebäude führen und zur Saint Giles Cathedral.«

Rebus war voller Ehrfurcht. Hier war ein Stück altes Edinburgh, unbefleckt und intakt. »Das ist ja unglaublich. Davon habe ich noch nie was gehört.«

»Das ist ja noch nicht alles. Unter dem Rathaus gibt es angeblich ganze Straßen von der alten Stadt, auf die man einfach draufgebaut hat. Ganze Straßen, Läden, Häuser und Wege. Hunderte von Jahren alt.« Anderson schüttelte den Kopf. Genau wie Rebus wurde ihm bewusst, dass man seinem eigenen Wissen nicht trauen konnte. Da konnte man einfach über etwas hinweglaufen, ohne zu wissen, was sich darunter verbarg.

Sie arbeiteten sich langsam in dem Gang vor, dankbar für die schwache elektrische Beleuchtung an der Decke, und sahen ohne Erfolg in jede einzelne Zelle.

»Wer ist es denn nun?«, flüsterte Anderson.

»Ein alter Freund von mir«, sagte Rebus, dem ein bisschen schwindlig war. Hier unten schien es nur sehr wenig Sauerstoff zu geben. Außerdem schwitzte er furchtbar. Er wusste, dass das von dem Blutverlust kam und dass er eigentlich überhaupt nicht hier sein sollte, doch er hatte das Bedürfnis, hier zu sein. Ihm fiel ein, dass er ein paar Dinge hätte tun sollen. Er hätte den Wachmann nach Reeves Adresse fragen und ein Polizeiauto hinschicken sollen, für den Fall, dass Sammy dort war. Dazu war es jetzt zu spät.

»Da ist er!«

Anderson hatte ihn entdeckt. Er war weit vor ihnen und an einer so dunklen Stelle, dass Rebus noch nicht mal irgendwelche Umrisse ausmachen konnte, bis Reeve zu laufen anfing. Anderson lief hinter ihm her, und Rebus versuchte heftig atmend mit ihm Schritt zu halten.

»Passen Sie auf, er ist gefährlich.« Rebus merkte, wie seine Worte ungehört verhallten. Er hatte nicht die Kraft zu rufen. Plötzlich ging alles schief. Vor sich sah er, wie Anderson Reeve einholte und wie Reeve zu einem fast perfekten Schwinger ausholte, so wie er ihn vor vielen Jahren gelernt und nie mehr vergessen hatte. Andersons Kopf flog zur Seite, als der

Schlag landete, und er fiel gegen die Wand. Rebus war auf die Knie gesunken. Er keuchte heftig und konnte kaum noch geradeaus schauen. Schlaf, er brauchte Schlaf. Der kalte, unebene Boden erschien ihm behaglich, so behaglich wie das schönste Bett, das er sich vorstellen konnte. Er schwankte, als ob er gleich umkippen würde. Reeve schien auf ihn zuzukommen, während Anderson an der Wand herabglitt. Reeve wirkte jetzt riesig. Er war immer noch im Dunkeln, wurde aber mit jedem Schritt größer, bis er Rebus zu erdrücken schien, und Rebus sehen konnte, wie er von einem Ohr zum anderen grinste.

»Jetzt du«, brüllte Reeve. »Jetzt zu dir.« Rebus wusste, dass irgendwo über ihnen sich der Verkehr wahrscheinlich mühelos über die George-IV-Brücke bewegte und Leute beschwingt nach Hause gingen zu einem gemütlichen Familienabend mit Fernsehen, während er zu Füßen dieses Monsters kniete, gestellt wie ein armes Tier am Ende der Jagd. Schreien würde ihm nichts nützen, dagegen anzukämpfen allerdings auch nicht. Verschwommen sah er, wie sich Gordon Reeve vor ihm herunterbeugte, das Gesicht krampfhaft zur Seite gedreht. Rebus erinnerte sich, dass er Reeve recht wirkungsvoll die Nase gebrochen hatte.

Daran erinnerte sich auch Reeve. Er trat einen Schritt zurück und holte zu einem wuchtigen Schlag gegen John Rebus' Kinn aus. Doch irgendetwas in ihm schien noch zu funktionieren, denn Rebus gelang es, ein paar Millimeter auszuweichen, und der Schlag erwischte ihn nur an der Wange. Dennoch kippte er um. Während er in einer fötusartigen Position dort lag, um sich ein wenig zu schützen, hörte er Reeve lachen und spürte, wie sich Hände um seine Kehle schlossen. Er musste an die Frau denken und wie er selbst die Hände um ihren Hals gelegt hatte. So sah also Gerechtigkeit aus. Möge sie ihren Lauf nehmen. Und dann dachte er an Sammy, an Gill, an Anderson und dessen ermordeten Sohn und an diese kleinen Mädchen, alle tot. Nein, er konnte Gordon Reeve nicht gewinnen lassen. Das wäre nicht richtig. Es wäre nicht fair. Er spürte, wie seine Zunge und seine Augen vor Anstrengung hervortraten. Er schob seine Hand in die Tasche, als Gordon Reeve ihm zuflüsterte: »Du bist froh, dass es vorbei ist, nicht wahr, John? Du bist richtig erleichtert.«

Und dann erfüllte eine weitere Explosion den Gang und schmerzte Rebus in den Ohren. Der Rückstoß von dem Schuss ließ seine Hand und seinen Arm kribbeln, und er nahm wieder diesen süßlichen Geruch wahr, der an den Geruch von kandierten Äpfeln erinnerte. Reeve erstarrte eine Sekunde lang erschrocken, dann klappte er wie ein Taschenmesser zusammen und fiel auf Rebus. Er lastete so schwer auf ihm, dass Rebus sich nicht bewegen konnte. Trotzdem beschloss er, dass er jetzt endlich beruhigt schlafen könnte …

Epilog

Vor den Augen seiner neugierigen Nachbarn traten sie die Tür von Ian Knotts kleinem Bungalow ein, einem ruhigen Vorstadthäuschen, und fanden Samantha Rebus, starr vor Angst, an ein Bett gefesselt, den Mund mit Klebeband zugeklebt und umgeben von Fotos der toten Mädchen. Nachdem man Samantha weinend aus dem Haus geführt hatte, war der Rest nur noch Routine. Die Einfahrt war durch eine hohe Hecke vom Nachbarhaus verborgen, sodass niemand Reeve kommen und gehen gesehen hatte. Er sei ein ruhiger Mann, sagten die Nachbarn. Er war vor sieben Jahren in das Haus gezogen, zu der Zeit, als er angefangen hatte, als Bibliothekar zu arbeiten.

Jim Stevens war ganz zufrieden mit dem Ausgang des Falls. Der gab Geschichte für eine ganze Woche her. Aber wie hatte er sich nur in John Rebus so täuschen können? Das verstand er einfach nicht. Doch seine Drogengeschichte hatte er mittlerweile auch abgeschlossen, und Michael Rebus würde ins Gefängnis wandern. Daran bestand überhaupt kein Zweifel.

Die Londoner Presse reiste an, auf der Suche nach eigenen Versionen der Wahrheit. Stevens hatte sich mit einem Journalisten in der Bar des Caledonian Hotels getroffen. Der Mann hatte versucht, die Samantha-Rebus-Geschichte zu kaufen. Er klopfte mehrmals auf seine Innentasche und versicherte Jim Stevens, dass er das Scheckheft seines Verlegers dabei hätte. Dieses Verhalten schien Stevens Teil eines größeres Missstands. Nicht nur, dass die Medien Realität schaffen und dann mit ihrer Schöpfung herumhantieren konnten, wie sie wollten, nein, hinter der ganzen Fassade verbarg sich etwas, das nichts mit dem üblichen Schmutz und Elend und Chaos zu tun hatte, etwas, das viel schwerer zu fassen war. Dieses Etwas gefiel ihm überhaupt nicht, und er mochte auch nicht, was es bei ihm angerichtet hatte. Er redete mit dem Journalisten aus London über so vage Begriffe wie Gerechtigkeit, Vertrauen und Ausgewogenheit. Sie redeten stundenlang, tranken Whisky und Bier, doch die Fragen blieben immer die gleichen. Edinburgh, wie es da im Schatten des Burgfelsens kauerte und sich vor irgendwas versteckte, hatte sich Jim Stevens von einer Seite gezeigt, die er bisher nicht gekannt hatte. Die Touristen sahen nur die Spuren der Geschichte, während die Stadt selbst völlig anders war. Das gefiel ihm nicht. Ihm gefiel auch der Job nicht, den er machte, und ihm gefielen die Arbeitszeiten nicht. Die Angebote aus London waren immer noch da. So schnappte er nach dem dicksten Strohhalm und verschwand Richtung Süden.